D1074769

Françoise Sagan

Un charmant petit monstre

Alain Vircondelet

Françoise Sagan

Un charmant petit monstre

Flammarion

ISBN : 2-08-068147-8

AVANT-PROPOS

Souvent un mot, une situation, un lieu, un climat peuvent décider d'un livre, du traitement que l'auteur lui accordera. Souvent ce mot, cette situation, ce lieu, ce climat sont si puissamment évocateurs qu'ils donneront à ce livre sa tonalité, son parfum et son sens.

De Françoise Sagan, le temps aura à ce jour retenu, plus encore que son œuvre doucement scandaleuse et nostalgique, fragile et instinctive tout à la fois, l'histoire d'une femme libre et désinvolte, madone des casinos et des champs de courses, icône de Saint-Tropez, de Saint-Germain-des-Prés et de Megève, aimant les voitures de courses et les boîtes de nuit, l'alcool et la fête.

Le mythe a la vie tenace. Si tenace que Françoise Sagan elle-même décida un jour de ne pas chercher à le détruire : question de paix intérieure et de confort. Puisqu'on l'aime et qu'on la veut ainsi, elle portera sa légende « comme on porte une voilette ».

L'expression est jolie et élégante. C'est elle qui décida du sort de cet ouvrage.

Qui est donc celle qui se dissimule derrière l'opacité de sa légende? Qui est vraiment Françoise Sagan? Peut-elle être réduite à cette seule image de noctambule et de bohême multimillionnaire? Quelles pesanteurs, quelle nostalgie, quel désarroi talonnent cette «légèreté de l'être» qu'elle affiche?

Relire tous ses romans, tous les entretiens qu'elle a accordés au cours de sa carrière, s'attacher à ses mots et à son œuvre, analyser toutes les photographies qu'on a pu faire d'elle et auxquelles elle s'est prêtée complaisamment, c'est traquer sa part obscure, sa face cachée, c'est recueillir le chant rauque et grave d'une détresse que n'aurait pas reniée Alfred de Musset en lequel elle se reconnaît si souvent, c'est encore déceler la trace d'une quête inassouvie et presque désespérée de l'enfance, d'une jeunesse du monde qui ne lui aura laissé en fin de compte que le goût amer de la solitude et de l'ennui.

C'est dans les pilotis de cette existence et de cette œuvre qui n'a, semble-t-il, réussi finalement à s'imposer qu'en tant que phénomène sociologique que des réponses et des clés peuvent être apportées, suffisamment éclairantes pour le reste d'une vie.

1935 : année de naissance de Françoise Quoirez. 1960, celle qui est devenue Françoise Sagan a vingt-cinq ans, et déjà quatre romans derrière elle. Entre ces deux dates, le mythe a pris place. Indissoluble, peaufiné par les médias, cultivé par l'éditeur, assumé par l'auteur.

Il reste que derrière la voilette, secrètement préservés, se cultivent et s'éprouvent d'autres arts de vivre et d'autres préoccupations que celles du «divertisse-ment», entendu dans son acception pascalienne. Des forces de vie inouïes, une volonté inébranlable malgré les épreuves, un amour des enfants, de la nature et des bêtes, une passion d'écrire surtout que seule l'ombre tutélaire de Marcel Proust, sans cesse convoquée, a éclairée et assombrie parce qu'elle renvoyait ses romans à leur propre facilité : tel est ce qui constitue le jardin secret de Françoise Sagan.

Depuis son apparition, fulgurante et juvénile, en 1954, dans le monde des lettres, avec son premier roman, *Bonjour Tristesse*, elle n'a cessé d'intriguer, de passionner, d'être l'objet et l'enjeu d'âpres discussions politiques, sociales et morales. Elle a traversé la deuxième partie du XXᵉ siècle en ne se séparant jamais de son allure cavalière et bourgeoise, conservant un capital de sympathie que ni les excès de sa vie ni ses frasques n'ont pu vraiment entamer. Dans le paysage littéraire français, elle reste «l'espiègle Lili» comme l'appelait François Mitterrand, l'insoucieuse et prodi-gue romancière, la cigale des Lettres, Sagan la facé-tieuse, Sagan la femme libre, celle qui s'indigne de toutes les injustices, Sagan la généreuse qui n'a aimé l'argent que pour le donner ou le dépenser parce qu'elle ne trouvait pas très convenable d'en gagner autant si facilement…

Aujourd'hui ruinée et affaiblie, solitaire et ne publiant plus guère, sa légende réverbère une autre profondeur. Il faut se reprendre à la lire ou à la relire. Son œuvre qui faisait scandale il y a cinquante ans encore, surprend à présent par sa pudeur et par l'analyse stendhalienne des sentiments. Dépassée par la transgressive surenchère des romans de ses consœurs en littérature, elle donne à voir désormais tout autre chose, de plus spirituel et de plus complexe, de plus obscur et de plus nocturne, de plus enfoui et somme toute de plus subversif qui a trait à l'exil, à l'absence, à la solitude et à la mort, la rapprochant ainsi des moralistes du XVIIᵉ siècle.

Derrière la voilette de circonstance, posée pour être plus libre mais aussi plus disponible à l'observation des êtres, Françoise Sagan, «le charmant petit monstre» qu'avait repéré François Mauriac, rejoint sur la pointe des pieds Saint-Simon, l'œil secret de la cour de Versailles ou mieux encore – et qui l'agréerait davantage –, Marcel Proust, témoin du monde reconstruit dans sa chambre.

« Suave ou âcre, le biographique, pouah ! Je plains les professeurs qui se changent en FBI littéraire, vérifient les bulletins scolaires, les contrats d'édition, les jugements de divorce. Les mêmes qui contestaient la critique dite "des sources", on les voit scruter les intimités. Ce n'est pas lieu de soumettre Sagan à ces fouilles, ni le temps. Puisse l'heure ne jamais venir ! »

Bertrand Poirot-Delpech
Bonjour Sagan

C'est toujours en retrait ou bien en effraction que Françoise Sagan entrouvre la terre de son enfance. Cajarc, la vallée du Lot, les causses, les vallées et les forêts profondes, et la sécheresse de pierres qui rendent la chaleur énorme, étouffante, et ce pays de Cajarc presque silencieux. Stendhal qu'elle a découvert ici, les jours d'été, le notait bien : « L'enfance, interminablement l'enfance. » Et les souvenirs qui s'y retiennent, gardent les traces des bonheurs enfouis, nourrissent les légendes.

On connaît davantage les lieux frelatés qu'affectionnait Françoise Sagan, les boîtes de nuit et les casinos, les lieux de villégiature et les palaces. On ne sait pas assez la place qu'a occupée Cajarc dans sa vie, quelque chose de semblable à celle d'Illiers pour le petit Marcel de *La Recherche*, quelque chose à ne pas dilapider, et qui force la vie, garde intacte son innocence. Elle parle donc de Cajarc presque à l'arraché, comme si elle ne devait pas. Elle a raison, Cajarc, c'est cette sauvagerie, cette liberté qui courent entre les lignes de ses romans, et cette fluidité. On dira : cette force naturelle qui n'a peur de rien.

À un jeune journaliste de *La Dépêche* qui vient l'interviewer, elle reste avare de confidences, répond par petites phrases sèches mais limpides. Au cœur de l'entretien, l'aveu jaillit cependant : « Cajarc et mon enfance : un domaine exquis auquel il ne faut pas toucher. » Cajarc, c'est donc un vaste lieu de réminiscences et de correspondances. Sagan aime Baudelaire et Proust, elle sait qu'un lieu, c'est « un vase rempli de sons, de parfums et de fleurs ». Un lieu secret, rien que pour soi, où se tisse l'histoire, où se joue sa musique.

Elle naît le 21 juin 1935. Le jour de l'été. Il fait chaud à Cajarc où sa mère est venue accoucher, par tradition, dans la maison maternelle. Quand Françoise Sagan parle de sa terre natale, elle se refuse aux reconstitutions qui forcément, dit-elle, sombrent dans l'attendrissement et l'imagination, car « on n'a pas de notion objective de son pays ». On n'a que des souvenirs « de vacances, de famille, d'adolescence, d'été ». Il n'y a donc que ces fragments, ces bribes d'histoires interrompues, ces impressions hâtivement perçues, ces éclats de lumière, ces climats. La chaleur est toujours lourde en juin, et sèche, qui jette des éclats blancs dans la petite ville repliée sur elle-même. Dès l'été, Cajarc retrouve ses airs dolents que la chaleur, renvoyée par les pierres, accroît. Elle s'isole dans son silence de pierres, ceinte de son Tour de Ville avec sa double rangée de platanes vieux d'un siècle au-delà desquels «les causses de pierres succèdent aux causses de pierres». Elle naît dans cette nonchalance, mais aussi dans cette sauvagerie des terres âpres et pauvres, dans leur violence et leur solitude.

C'est justement sur le fameux Tour de Ville qu'est située la maison de sa grand-mère, vaste demeure bourgeoise aux toits d'ardoises. Madeleine Laubard règne sur elle avec autorité et bonté. Femme forte, au caractère trempé, on rappelle souvent dans la petite ville ses bonnes actions : l'enfant d'une petite couturière, atteinte de tuberculose, qu'elle adopte, des réfugiés belges qu'elle accueille pendant la guerre de 1914. De cette «mère courage», Françoise Sagan gardera toujours un souvenir très fervent, elle en retiendra son sens de l'hospitalité, sa forme d'engagement, sa ténacité. À chaque naissance de ses petits-enfants, Madeleine Laubard exige qu'ils naissent dans la maison de Cajarc. Dans le lit où elle-même donna naissance à la mère de Françoise. Mais l'exigence de cette grand-mère n'est pas synonyme de rigidité. Au contraire, dans la vaste maison de Cajarc, l'impression générale est celle d'un «campement», d'une sorte d'improvisation et de dilettantisme où celle qui sera plus tard surnommée Francette ou encore Kiki, trouvera presque naturellement sa place. Quand Sagan parle (chichement) de ce temps-là, elle dit qu'elle évoque sa « préhistoire », mais que cela n'a rien de singulier, puisqu'elle est née près des grottes de Lascaux !

Son grand-père, Édouard Laubard, ne possède pas la même force intérieure qui stimule Madeleine ; petit hobereau de province, il a le goût de ne rien faire, il aime l'oisiveté qu'il partage avec son frère, Jules : « C'étaient des gens qui n'avaient rien fait de leur vie, ils n'étaient pas riches, mais ils avaient des moulins, des métairies. Mon grand-père, raconte Sagan, avait toujours un costume d'alpaga blanc et conduisait une charrette à cheval mais il n'avait jamais touché de sa vie à un instrument de travail. »

Les mois d'été, avant et après la guerre, Françoise Quoirez descend avec ses parents dans le Lot. Temps de vacances au cœur d'une nature sauvage dans laquelle elle aimera très tôt se plonger. Les rares confidences de l'écrivain ne manquent jamais de raconter la grâce des aubes, la lumière dorée des meules de foin, « la lente glissade du Lot » et cette accablante chaleur qui pèse sur le pays et invite à la paresse, à la nonchalance, à la vanité de l'action.

S'inscrivent, indélébiles, ce qu'elle nommera des « flashes », des morceaux d'images, des fragments d'impressions qui fondent le « royaume » et l'enchantent.

Sagan ne sait plus à quel âge elle les a vécus, quatre, cinq, huit, dix ans peut-être mais tous répètent les mêmes motifs, la chaleur torride des causses, le désert des terres pelées, la solitude des villages, « les mouches qui se posent sur les naseaux du vieux cheval que je monte», le grincement de la poulie qui remonte les seaux d'eau du vieux puits.

Les souvenirs fugitifs abondent, détalent comme de l'eau vive. Il y a le jardin de sa grand-mère un peu à l'abandon où elle fait ses premiers pas, les aventureuses parties de cache-cache dans les ruelles de la vieille ville avec les enfants de Cajarc, le Tour de Ville arpenté plusieurs fois, les visites dans le vieux château féodal au-dessus de la ville, les bouteilles de mauvais mousseux gagnées à la foire, les vendanges et «le moût frais et sucré qui sort du pressoir devant la porte», bu à s'en rendre malade.

Le regard s'exerce rapidement au spectacle de la nature, très vite Kiki sait voir au plus juste des choses, son œil est vif et nerveux, intègre des atmosphères et des sensations, traverse des secrets. Le sentiment de la nature si éloigné, semble-t-il, des perceptions éprouvées dans les mondes délétères et interlopes qu'elle fréquenta plus tard, reste cependant au cœur de son histoire profonde et de sa vérité. «Disponible nature», dit-elle, quand, allongée dans un pré, elle en ressent la «maternelle» présence et l'équilibre heureux. Très tôt, Sagan ressent cet appel, cette nécessité. Le reste, les boîtes, les voitures, l'alcool, ne seront plus tard que divertissements, moyens de supporter l'incompréhensible sens de l'existence humaine.

«Dès le mois de mai, les prés pliaient déjà sous l'été. L'herbe haute, amollie de chaleur, penchait, séchait et se rompait jusqu'au sol… » : c'est tout le regard de l'enfance qui remonte dans ces lignes écrites près d'un demi-siècle après les avoir ressenties, éprouvées de l'intérieur, mûries en secret.

De ses parents, elle a le souvenir bref, mais juste : un trait, un mot qui savent les camper. Elle préfère de loin les croquis, les pointes sèches, les petits coups de plume à la Goya aux palettes lyriques et colorées. « Ils avaient tous les deux le sens de la fête. Le goût des Bugatti. Ils se promenaient à toute vitesse sur les routes. » Plus prolixe sur le père, Pierre Quoirez, elle le décrit toujours plein d'humour, espiègle et gai, bohème et aristocrate dans ses allures. Né avec le siècle, ingénieur diplômé de l'Institut industriel du Nord, il dirige des usines et éprouve pour sa fille une indulgente tendresse. Sa mère, plus discrètement évoquée, n'en est pas moins atypique dans leur milieu bourgeois. « J'avais des parents jeunes et dans le vent… »

Retient-elle déjà, petite fille, des traces de cette éducation libre, de cette liberté d'esprit ? L'enfance se tisse entre Cajarc et Paris, dans l'appartement du très respectable boulevard Malesherbes. Tandis qu'elle passe un mois d'été chez sa grand-mère en compagnie de son frère, ses parents courent la côte normande en torpédo. Elle entend parler de Deauville, des villas blanches, des cabines rayées sur la grande plage que longent les planches.

Un sentiment de solitude s'immisce peut-être dans

ces absences. Une vague impression d'exil, de délaissement. Heureusement la terre de Cajarc rejoint, donne des forces. « Ils avaient tendance à nous plaquer… » Les parents aiment les fêtes, les chevaux, les voitures : comment ne pas s'en souvenir ? Mais pas de nostalgie cependant. Elle aime les jeux abrupts et sauvages, « elle n'a peur de rien, prête à faire les quatre cents coups », comme le raconte son camarade, Jeannot Roques. Elle va souvent avec son grand-père dans les causses, emprunte les épais réseaux de sentiers, longe le Lot, aime la violence de ce pays, secrètement.

Quand la chaleur écrase toute la ville, elle passe des heures à regarder les images des vieux ouvrages dénichés dans le grenier de sa grand-mère. Plus tard, presque une jeune fille, on sait qu'elle est souvent là, transpirant à grosses gouttes « sans bouger un cil, assise dans une vieille bergère au velours frappé », lisant *Albertine disparue*. Le grenier, dit-elle, a « l'odeur, la poussière et le charme de tous les greniers de toutes les enfances », il y a pêle-mêle des romans d'amour à quatre sous, des fabliers illustrés, des magazines de modes et des récits de voyages de Pierre Loti. Plus tard encore, elle aura la révélation de Rimbaud, mais cela se passera à Hendaye, où ses parents ont loué une villa pour l'été. Ce serait très tôt le matin, elle se mettrait à l'abri sous la tente, blottie dans un gros chandail, et elle se jouerait, c'est elle qui le confie, la scène de « la jeune fille allant lire des poèmes à l'aube sur une plage ».

L'enfance est douce et aimée. Elle aime les fous rires, les jeux brusques et les heures de sieste sous « les ardoises bouillantes ». Elle tombe en jouant, se fait mal, n'a peur de rien. « Je suis quelqu'un qui se blesse. » Elle aime le long couloir de l'appartement parisien pour y faire rouler son âne à roulettes à toute vitesse. Elle aime aussi flâner le long des rives du Lot, le grand courant d'eau qui s'enfonce dans les bois, ses méandres langoureux et ses chutes sauvages, et la chaleur qui s'affale sur les lauzes d'ardoises. Ce secret incendie des causses après lequel il faut bien courir.

Mais tout cela est intuitif, perçu seulement dans les secrets silences de l'enfance. La plus jeune des enfants Quoirez, après Jacques et Suzanne, elle est très gâtée, ses parents ne lui refusent rien. Peut-être parce qu'elle est plus fragile que les autres, plus chétive. Son père l'appelle « le petit pruneau ». Les parents ont confié les enfants à Julia Lafon, une jeune fille de Cajarc, entièrement dévouée à la famille. Il règne dans la famille une légèreté, une gaieté qui rendent les choses simples et charmantes. Marie Quoirez est insouciante, frivole et drôle à la fois. Le couple qu'elle forme avec Pierre est heureux. Nous l'étions, raconte-t-elle, « l'un près de l'autre, l'un par l'autre ». Quelque chose de disponible, d'ouvert et de facile berce la toute petite enfance de Kiki. À peine comprendra-t-elle que la guerre est partout dans le monde : aux larmes de sa mère écoutant un discours de Hitler. À cette époque, les clichés la montrent espiègle et faussement sage. Elle porte un petit manteau d'enfant modèle à col de velours ou bien pose dans son lit avec un baigneur en Celluloïd dans les bras. Ne pas s'y fier cependant : elle ne joue guère à la poupée, préfère les voitures électriques, les vélos et rejoindre les garçons.

Au début de la guerre, Pierre Quoirez, lieutenant de réserve, est mobilisé. Il passe dix mois sur la ligne Maginot tandis que Marie s'installe à Cahors avec les enfants. Croient-ils tous encore à une guerre longue et cruelle? Avant de rejoindre Cahors, la légende prétend que Marie, contre vents et marées, a voulu revenir à Paris pour récupérer sa collection de chapeaux! La guerre pourtant ne modifie pas encore les rythmes lents et paresseux de Cajarc. À Cahors, la vie est paisible, le Lot s'allonge autour de la ville, comment croire aux rafles à venir, aux fermes qui flambent? Les marchés sont pleins de victuailles et les récoltes de truffes sont exceptionnelles cette année-là. La guerre ne semble pas avoir de prise dans la lumière dorée des causses. Pas de fêlure encore dans cette enfance heureuse. Des jours comme des vacances.

Après sa démobilisation, Pierre Quoirez retrouve ses fonctions auprès de la Compagnie générale d'électricité. Il est nommé directeur des usines de Saint-Marcellin et de Pont-en-Royan, en Isère. Nouveau départ pour la famille qui quitte Cahors pour s'installer à l'automne 1940 à Lyon. La guerre est plus visible que dans le Sud-Ouest, aggravée par les foyers de résistance dans les maquis du Vercors. Les restrictions sont palpables, l'inquiétude plus sourde. Mais Françoise, encore trop petite pour les concevoir, vit la guerre comme un jeu. Les veillées sont gaies sous le grand lustre de la salle à manger à trier les haricots «comme pour jouer au loto. Tous ensemble devant un gros sac de haricots, on disait : "Haricot, charançon. Haricot, charançon…" Pendant des heures, on les triait.»

À Lyon, une veuve tout en noir lui apprend le solfège et lui donne des leçons de piano. Elle a à peine cinq ans. Sur un clavier dessiné à l'encre de Chine, elle joue des rondeaux et des sonates sans entendre aucun son. Elle découvre en creux la musique. C'est dans le silence des heures laborieuses qu'elle l'apprend. Dans ses modulations secrètes. Plus que de la musique et des notes. Des climats.

De la guerre, elle se souvient comme d'un jeu, une histoire «de grandes vacances». «Mes parents étaient très calmes, je n'avais pas peur.» À peine se souvient-elle de fermes incendiées, de soldats en uniformes, de familles arrêtées dans les rues. Dans la même ville, une de ses futures amies, la prêtresse des nuits de Paris et de Saint-Tropez, Régine, est hébergée dans une famille d'accueil. Elle est juive, un peu plus âgée que Françoise, connaît l'attente et l'angoisse : celle que son père ne revienne pas la chercher. Dans l'album de famille des Quoirez, on peut voir Françoise à cette époque, la coupe de cheveux au carré, un peu Sophie, un peu Camille, assise dans un fauteuil de rotin en train de lire ou bien jouant avec son chien. Elle a l'air un peu sauvageonne, elle sourit de manière attendrissante. C'est une petite fille des beaux quartiers, aimée, très aimée. On ne devine rien chez elle qui soit mélancolique et perdu. Plutôt l'étrange distance des regards d'enfant, des liens inconnus qui se rattachent à qui, à quoi?

Pourquoi se souviendra-t-elle de cette histoire de pintade plutôt que de telle autre? Comment comprendre le travail des sources et des traces? L'obscur labyrinthe qu'empruntent les souvenirs? Elle garde mémoire de son père, ce héros, revenant de la campagne et qui, «ouvrant le coffre de la voiture d'un geste solennel», annonça : «Regardez ce que j'ai trouvé.» Et la pintade qui avait juste les pattes entravées, s'envola et disparut dans le ciel de Lyon. Une indulgence complice, une tendresse inévitable relient le père à sa fille cadette. Il sera toujours le sauveur, le bohème, l'incomparable compagnon de ses jeux. Il y a aussi le souvenir de leur mésaventure sur l'étang de Ville-d'Avray quand ils chavirèrent tous deux de leur barque et évitèrent la noyade grâce aux secours d'une équipe de football venue à la rescousse.

À l'automne 1940, elle va inaugurer sa chaotique scolarité en entrant au cours de la Tour Pitra. Elle est encore docile quoique déjà casse-cou et garçon manqué. Elle a toujours aimé le sport, les jeux brusques, le tennis et la natation. Pour l'heure on lui demande d'être la sage petite fille du maréchal Pétain auquel chaque matin, avant les cours, l'école entière chante les louanges suivies d'une prière à la Vierge Marie. Elle croit encore dur comme fer à la «mère du ciel», comme en témoigne la photographie de sa première communion, où elle arbore un regard mystique et pénétré.

En classe, tous ont remarqué cette hésitation dans la parole, presque ce bégaiement qui fait se précipiter les mots, provoque cette hâte inaudible, met les mots sur leur crête pour qu'enfin ils s'effondrent dans le silence. Mieux vaut quelquefois se taire, rejoindre la nuit des mots. Peut-être est-ce ainsi que les livres prennent leur source, à ces puits de paroles étouffées qu'ils vont tirer leur substance?

À la maison, Cours-Morand, Marie Quoirez reçoit comme à Paris, avec la même volubilité, la même gaieté. On se presse dans son salon, on dîne entre lettrés et ingénieurs savants. On en oublierait la guerre. Quelquefois, quand les bombardements font rage, on se décide à descendre dans les abris. Marie y répugne, «inutile!», tranche-t-elle. Ce jour-là, «elle s'était fait une mise en plis... Les murs tremblaient, des gravats tombaient, tout le monde attendait parfaitement calme et nous, on jouait aux cartes sans avoir peur du tout. Quand on est remonté, ma mère a poussé un hurlement : il y avait une souris dans la cuisine!» Toute la famille vit dans cette fantaisie un peu loufoque, où se mélangent tradition et modernité, mœurs bourgeoises et bohêmes. Au sein de la famille, Françoise n'est pas une enfant introvertie. Bien au contraire, elle ne cessera plus tard de magnifier son enfance heureuse et dorée.

L'appartement des Quoirez, vaste et bourgeois, donne sur le Rhône. Mais la vue du fleuve étale ne suffit pas à contenir sa force paysanne, les flux de vie qui la parcourent. Elle regrette les vacances de Cajarc, les promenades dans les causses, les balades avec les petits villageois dans les maisons abandonnées. Heureusement, les fins de semaine, toute la famille rejoint Pierre Quoirez, à Saint-Marcellin, dans cette maison de campagne qu'il a louée, La Fusillère. Françoise retrouve la campagne, les jeux libres, la poésie des animaux familiers, le cheval Pimpin qui la traîne en charrette. Dans les maquis du Vercors qui forment la ligne noire de l'horizon, des hommes se cachent et meurent. C'est toujours dans ces chemins de lisière, dans ces tensions secrètes, inavouées, dans cette légèreté et cette gravité que s'esquisse son existence.

Son père, qui est très amateur de voitures rapides, est chargé d'un projet de construction d'un prototype de voiture électrique. La CGE veut être pionnière en la matière et nul dans la société n'est mieux à même que Pierre Quoirez de le mener à bien. Sur un des exemplaires non commercialisés que son père a ramenés à la maison, Françoise apprend à conduire. Elle n'est pas peu fière au volant de «sa» CGE Tudor dont la vitesse maximale atteint à peine 50 km/heure!

On est en 1942. La guerre fait rage. Elle le comprend intuitivement aux discussions dans la cour de la propriété avec des maquisards, à ces mots de « Juif », d'« israélite », de « cache », à ces Allemands en uniformes qui entrent brutalement dans leur appartement lyonnais. Mais tout est plutôt léger et même gai. Malgré leurs craintes d'être dénoncés, les Quoirez – qui n'hésitent pas à cacher des Juifs ou à en fréquenter ostensiblement – donnent toujours à leurs enfants l'impression de vivre de manière insouciante, comme si la guerre leur était étrangère.

Françoise est très impérieuse et capricieuse, elle est ce qu'on appelle communément une enfant gâtée, têtue et rebelle à toute discipline et qui n'en veut faire qu'à sa tête. On le sait déjà à sa mine boudeuse et ironique à la fois, à sa spontanéité et à son naturel qui déconcertent, à ce que l'on interprète comme de l'espièglerie. Elle fait les quatre cents coups, se perd en forêt, dans des « oubliettes » de château féodal, se risque à des acrobaties périlleuses. Elle monte son nouveau jouet, un poney que son père lui a offert, elle fait avec lui de longues promenades dans la campagne. Elle va chaque été chez sa grand-mère à Cajarc, elle y retrouve ses vieux amis avec lesquels elle partage des jeux de garçons, duels à l'épée en bois, courses, batailles rangées. Elle continue d'explorer le grenier rempli de livres. Chaque année, elle découvre de nouveaux auteurs. Sur les rayons poussiéreux, elle lit indistinctement des romans sentimentaux, illustrés et

26

brochés, Gyp et les romancières des années 1900, les récits exotiques de Pierre Loti, *Aziyadé* ou *Ramuntcho*; chaque année, elle se gavera ainsi d'auteurs secondaires, Claude Farrère, Ernest Pérochon, de récits gothiques et d'aventures, avant de découvrir enfin Colette, Gide...

Un jour dans la guerre, elle ne se souvient pas exactement de la date, en 1941 vraisemblablement, dans la cour de La Fusillère, des Allemands déboulent en mettant toute la famille «dos au mur avec les bras en l'air». Ils fouillent la propriété à la recherche d'une camionnette pleine de munitions que des maquisards, disent-ils, auraient dissimulée ici. Seul Pierre Quoirez sait que c'est vrai, qu'il a juste eu le temps de cacher le véhicule qu'un maquisard lui a imprudemment imposé. Elle, Françoise, n'a pas peur à proprement parler, il y a des cris dans la cour, des ordres lancés dans une langue qu'elle ignore, dure et brutale, et puis des silences qui, confusément, suspendent le temps, trahissent des gouffres, pourraient bien défaire les jours heureux.

Est-ce à de tels moments que l'œuvre à venir empruntera? Savoir que rien n'est oublié : ni le temps fugitif, ni les changements de climats, ni les fluides modulations du temps qui passe.

À l'arrivée des Américains à Lyon, elle assiste à leur défilé triomphal. Elle applaudit «comme tout le monde», voit passer «les héros» : ils sont beaux et bronzés. «Bronzés», de cela, elle s'en souvient et ne manque jamais de le préciser quand elle évoque cette période. Mais tout est mêlé, la joie, les petites peurs enfantines, l'étonnement devant les femmes tondues à la Libération, l'impression de malaise et l'effroi devant les camps de la mort.

C'est à Saint-Marcellin, elle a onze ans. Elle est au cinéma de la petite ville, l'Éden. Elle est allée voir avec sa mère *L'Incendie de Chicago* interprété par Tyrone Power. Comme d'habitude, avant le film, on passe les fameuses actualités. Pétrifiée dans son fauteuil, elle voit «les images des camps de concentration : des chasse-neige repoussant des monceaux de cadavres. J'ai demandé à ma mère : "C'est vrai?" Elle m'a dit : "Oui, hélas, c'est vrai!"». Les images de Buchenwald s'impriment à jamais dans son esprit. De là date sa phobie pour le racisme. Un jour, elle est à la table de Coco Chanel qui se hasarde à quelque plaisanterie antisémite. Elle quitte la table sans un mot.

Juste avant la fin définitive de la guerre, elle est dans le jardin de La Fusillère. Avec sa sœur, elle se prélasse au soleil en maillot de bain. Soudain, un avion surgit, qui vole très bas. Elle croit que c'est un avion américain et crie : «Hourra!» Mais l'avion pique plus près encore, et commence à mitrailler. Les deux sœurs se sauvent en courant et Marie Quoirez lance à sa fille aînée, Suzanne : «Habille-toi, mais habille-toi donc!»

De toutes ces images conservées, elle tire l'idée que rien n'est simple ni tout à fait définitif. Que tout peut basculer et se retourner, que la vie est nuancée et impénétrable, inattendue et surprenante. Qu'on ne peut se fier aveuglément aux leçons de morale, aux idées reçues. Que le monde est mouvements et ambiguïtés. Quelque chose qui ressemble à des variations musicales, des fugues qui détalent dans le temps, font croire et ne plus croire en un seul instant.

Son caractère se forge doucement, à bas bruit. Elle est solitaire et aime tout aussi bien la compagnie des adultes et celle des enfants, elle est une intarissable bavarde et fait souvent des caprices, elle cache au plus profond d'elle-même ses blessures enfantines, et cherche très tôt à maîtriser sa sensibilité, qu'elle a à fleur de peau, et cette fougue qui l'embrase en un instant. Elle éprouve pour la lecture une passion sans bornes. Une manière pour elle de tempérer sa violence. La nature, les animaux aussi : les seules vraies fidélités. Les seules richesses avec les enfants.

Sa santé est précaire. L'air de la campagne dauphinoise lui convient bien mais pas assez pour ses bronches. Elle est alors une petite fille malingre et chétive, mais dont l'énergie est farouche. Elle est très vive et indocile. Elle peut aussi sombrer dans une vague mélancolie, dans le regard, un air détaché. On pourrait dire encore : exilé.

Ses parents décident de l'envoyer à La Clarté, un internat de Villars-de-Lans. L'air des montagnes la revigore, lui insuffle un regain d'énergie. Puis c'est le retour à Paris après la Libération : «c'est le changement de collège, dit-elle, le changement des petites copines. Je ne me rappelais plus Paris, je l'avais quitté trop jeune».

Elle est inscrite en sixième pour cette rentrée qui suit la fin de la guerre au cours Louise-de-Bettignies. L'établissement est privé et tenu par des enseignantes austères et rigides. Le genre de discipline qui y est pratiquée ne convient guère à son tempérament fougueux, facétieux et désinvolte. Elle affiche un air de se moquer de tout, une impertinence mêlée d'un humour assez corrosif qui n'est pas du tout le genre de la maison. Le cours privé accueille des jeunes filles de la bonne bourgeoisie. Il est situé tout près du boulevard Malesherbes, ce qui fut un élément déterminant dans le choix de ses parents. Tous les matins, Julia, qui s'occupe le plus souvent de Françoise avec un dévouement très provincial, la coiffe et l'habille. À cette époque, elle porte des vêtements faits sur mesure, venus de boutiques très huppées qui livrent robes et manteaux protégés de papier de soie puis sagement pliés dans de précieux cartons. Mais Françoise n'en a cure. Peu soigneuse, elle ne prête pas attention à ses vêtements et fait enrager Julia qui les repasse avec amour.

Son passage à Louise-de-Bettignies n'est guère éloquent. Maîtresses et anciennes élèves sont pour une fois d'accord pour confirmer le comportement peu scolaire de Françoise. On se souvient d'elle comme d'une élève «fumiste» et «indisciplinée», et si ses capacités intellectuelles ne sont pas mises en doute, elle laisse cependant derrière elle une vague réputation d'élève insoumise et «déconneuse», comme le dit une de ses amies de l'époque. Elle-même confirme cette impression unanime : «J'étais assez infernale»…

Habituée à l'air libre des montagnes et de la campagne dauphinoise, elle s'étiole quelque peu dans un Paris qui garde encore des traces d'une occupation douloureuse. La ville semble blessée et triste. Françoise, qui a vécu la guerre de manière légère, s'y sent malheureuse, garde au fond d'elle-même la nostalgie des promenades en charrette dans les causses, des galops sur son cheval, cette liberté jamais retrouvée.

Les photographies d'alors parviennent à capter cette mélancolie, ce regard un peu lointain, cette distance même qu'elle instaure. Plus tard, on observera dans son caractère une maturité troublante pour son jeune âge, une gravité singulière, presque gênante, qu'une plaisanterie en une seconde savait balayer.

Aux récréations, elle est la tête brûlée de sa classe, elle peut être brutale et indisciplinée, giflant, selon ses propres aveux, une de ses camarades, aimant les jeux de ballon. Peu à peu s'affirme une personnalité indépendante et déterminée. Sensible à l'extrême, elle aime particulièrement le français, et s'illustre par d'excellentes rédactions. Mais quelque chose en elle l'entraîne déjà comme à se perdre, à s'épuiser, comme pour combler de l'ennui, saturer une manière de vide.

Ses frasques au collège sont affaire courante, peut-être une manière de défier, de se défier. La monotonie des études la pousse presque à son insu à contrarier les usages mis en place par les responsables de son école, toutes de vieilles filles revêches auxquelles Françoise mène la vie dure. Elle affiche très vite une insoumission absolue, son espièglerie légendaire fait d'elle une sorte d'étrange cancre qui obtiendrait néanmoins de bonnes notes. Le conseil des maîtres apprécie à l'unanimité son intelligence et sa faculté de s'adapter, sa compréhension immédiate, et sa façon tout à elle de «torcher en un rien de temps» des devoirs qui s'avèrent excellents. Elle transforme son énergie en chahut, se venge de la médiocrité de ses professeurs, invente des jeux pour faire basculer la monotonie ambiante.

Quand son professeur de lettres l'ennuie à cause d'un cours sur Molière qui l'a particulièrement assommée, elle ne trouve rien de mieux que de subtiliser le fameux buste de l'écrivain qui trône dans la classe, et de le pendre par une ficelle à une porte. Aussitôt c'est elle qui est désignée comme coupable, car aucune de ses camarades n'a cette audace, cette liberté d'esprit et cette forme de courage. Elle exaspère ses professeurs en adoptant en classe des attitudes fantaisistes, se balançant sur sa chaise, feignant de ne rien suivre du cours, dessinant sur ses cahiers. Mais son apparente désinvolture s'accompagne d'une profondeur et d'une pénétration qui étonnent déjà. Nulle mieux qu'elle ne sait traduire des atmosphères dans ses rédactions, des climats et des dialogues. Elle apparaît comme une élève aux facilités déroutantes et dangereuses tant elle semble ne pas prendre au sérieux ses études. Elle plaît cependant pour cela, inspire respect et admiration à ses camarades. Toujours pour la même raison : cette espèce d'ennui, cette nécessité inexplicable de vivre, cet aveu qu'elle dit par ses agissements mêmes, cet art de glisser sur le malheur, sur les usages. Ses parents qui aiment tant la fête et qui n'ont jamais vraiment quitté leur propre enfance, sourient de ses aventures et lui pardonnent tout avec une aveugle indulgence. Déjà, dans cette jeunesse en apparence confortable et encadrée, viennent confusément se caler l'ennui et l'impression incertaine que tout est terne, indifférent et vain.

Elle est pour cela une élève suspecte et subversive. Elle sait qu'on ne manquera pas une occasion de la renvoyer, parce qu'elle est différente et imprévisible. Elle est enfin sommée de ne plus revenir en cours trois mois avant les grandes vacances. C'est en 1947 ou en 1948, Sagan ne le sait plus elle-même. Elle n'en avertit pas ses parents qui, chaque matin, la voient partir prétendument pour l'école. « Je me levais tous les matins à 8 heures avec un air actif, je prenais mon cartable et je faisais comme si… »

Les quatre murs de la classe s'ouvrent aux vastes avenues et aux parcs. Elle se promène dans Paris jusqu'à 4 heures de l'après-midi, feint à son retour de faire ses devoirs, ment consciencieusement sur ses journées en classe. Le stratagème va durer jusqu'au départ en vacances. Tout le monde, à la maison, est dupe : c'est qu'elle possède au premier chef, cet art de ne pas s'en laisser conter, cette impertinence et cet esprit de bravade qui tient tête aux idées reçues, aux règles générales. Et le goût de l'illusion, du mensonge.

Jusqu'à la rentrée suivante, ses parents croient toujours que leur fille est inscrite au cours Louise-de-Bettignies. Elle, sait que l'heure de la vérité approche mais bravement va au front, n'hésite pas à se présenter en cours et à se faire entendre une seconde fois qu'elle est décidément renvoyée… Devant une telle force, Pierre et Marie Quoirez sont presque fiers de Françoise et l'inscrivent au… couvent des Oiseaux, rue de Ponthieu. L'établissement a bonne réputation et accueille des jeunes filles aisées de la bourgeoisie du 16e arrondissement. Très attentif à délivrer une éducation chrétienne stricte, il lui faudra peu de temps pour cerner Françoise qui se singularise très vite par son absence de piété et son comportement provocateur. Elle y fera long feu et sera de nouveau renvoyée pour «manque de spiritualité»!

Nouvelle école mais celle-là plus libre et plus moderne : le cours Hattemer-Pringuet. Françoise accueille d'un bon œil ce nouvel établissement qui correspond davantage à ses goûts : il est mixte et la discipline n'est pas trop rude. Plutôt considéré comme une «boîte à baccalauréat», il reçoit sans discrimination des élèves peu dociles et quelque peu «fumistes». Le cours est fréquenté par de jeunes fils de bourgeois aisés, le plus souvent renvoyés de lycées publics et privés et issus souvent de familles séparées. Françoise trouve sa nouvelle école à sa convenance.

L'absence de rigueur et le peu de contrôle des absences lui permettent de «sécher» régulièrement les cours et de s'apprivoiser ce Paris, vaste et inconnu, qu'elle commence à aimer : «Une ville, une heure m'étaient offertes : à moi de les prendre.» C'est dans cet abandon à la saveur, bue comme une délivrance, qu'elle va désormais se livrer, sûre d'y trouver quelque chose qui ressemble au bonheur.

La photographie la montrant en première communiante, un peu figée et solennelle, ne laisse rien présager de l'avenir. Elle entretient avec Dieu des relations de plus en plus distantes, et s'en éloignera définitivement pendant son adolescence. La fréquentation de collèges privés dont certains de confession catholique n'a pas pu la réconcilier avec la religion.

C'est à Lourdes que Françoise Quoirez perd la foi. Comment accepter que la petite paralytique qui sanglote près d'elle en implorant la Vierge Marie ne soit pas immédiatement guérie si véritablement Marie existe ? Comment continuer à prier un Dieu aussi injuste, aussi cruel ? Mais encore, comment désormais vivre sans Dieu ? À Lourdes, un abîme s'ouvre devant la jeune adolescente : «La perspective d'une terre sans Dieu, d'un monde sans justice, sans pitié et sans grâce, le monde où je devais vivre à présent.»

Est-ce à dire pour autant que Françoise Quoirez fut une jeune fille totalement athée ? Si les mœurs s'y prêtent, si la mode est à la déchristianisation, si elle cultive avec un certain cynisme le sens de la provocation, quelque chose d'inconsolable et d'amer reste logé au fond d'elle-même dont vont témoigner les premiers romans. Elle-même tant d'années après parlera de « l'abandon irréparable ».

La quête du plaisir est aussi quête d'absolu : « la vitesse, la mer, minuit, tout ce qui est éclatant, tout ce qui est noir, tout ce qui vous perd et donc vous permet de vous trouver », avoue-t-elle dans *Des bleus à l'âme*. Et permet de trouver aussi : Musset n'est pas loin, ni cette enfant d'un autre siècle.

Elle a cette chance d'obtenir de bonnes notes en bâclant son travail. C'est une sorte de secrète hâte, une désinvolture de la pensée, une forme d'écriture qui suit aussi rapidement la pensée qui font croire qu'elle « torche » ses devoirs, comme dit son amie de classe, Solange Finton. Mais cette hâte et cette désinvolture révèlent des hardiesses, des passages d'émotion, des intensités mêlées. Sous la gaieté apparente et les fantaisies auxquelles elle aime s'adonner – « je suis au couvent des Oiseaux et je pépie gaiement », écrit-elle à un de ses amis –, des aveux au détour d'une confession trahissent d'autres préoccupations, d'autres tourments intérieurs. « Brûler sa vie », « s'étourdir » sont les termes qu'elle utilise à l'époque pour expliquer aux autres, qui la trouvent différente, ses comportements. Mais les mots ne sont pas innocents. Pourquoi s'étourdir si elle n'a déjà compris la vanité du monde et le temps qui file jusqu'à l'angoisse ?

Le grenier de Cajarc et la bibliothèque familiale

nourrissent ses sujets d'interrogation. Elle découvre ainsi les romantiques, Musset surtout dont la légèreté chargée de gravité lui ressemble, «*Les Nourritures ter-restres* à treize ans, *L'Homme révolté* à quatorze, les *Illuminations* à seize». Il y a encore les romans scabreux qu'elle «cache dans sa chambre», et les récits sentimentaux et convenus de Claude Farrère. La quête des livres est désespérée, le grenier de madame Laubard est le vaste champ des questions et des attentes. Lire au fond du grenier, oubliée des autres. Sur le toit tout près de soi, entendre le bruit «atroce» et délicieux des orages.

L'apprentissage de la désinvolture passe donc par les livres. Il y eut Gide d'abord. Gide découvert, retrouvé un an après la révélation et abandonné. Gide qui enseigne la ferveur. L'exaltation de la sensualité professée dans le récit plaît à Françoise. Puisque Dieu n'existe pas, puisque l'homme est seul sur la terre, puisque Dieu a toléré les pelletées de cadavres jetés en vrac dans les fosses, prendre conscience de soi, de sa grandeur, de sa force, comme cette après-midi sur les cimes de Villars-de-Lans, alors qu'elle était renvoyée d'un cours de géographie. Elle chausse ses skis et monte à flanc de montagne, s'assied sur une crête et contemple l'immensité des montagnes, jouit de cet air plein et neuf. Se sentir «maîtresse du monde». Et que peut Dieu à cela?

Gide donc. Quand elle lit, c'est pour trouver un

écho à sa propre quête, à ses propres questions. Trouver «une pensée qui précédât la mienne». Elle aime Gide parce qu'il offre la vie dans toute sa plénitude et lui permet d'aimer et d'admirer sans retenue, parce qu'il renvoie à une sorte d'innocence et de liberté.

C'est peut-être la fin de l'été, à La Fusillère. La campagne dauphinoise est nourrie de pluies qui ont alourdi de vert les arbres et les prés, elle s'est assise sous un peuplier, elle a longé l'allée d'acacias qui embaument, et elle découvre sa «bible». Il n'y a pas de honte, des dizaines d'années après l'événement, à le magnifier en dépit du purgatoire qui punit Gide de ses heures de gloire trop vite gagnées. Gide, c'est la naissance du don, la liberté de l'aveu, l'élégance de l'improvisation, la promesse du désir sans culpabilité. Et la découverte surtout que par la littérature une «grâce» nouvelle est acquise que personne au monde, ni les guerres ni les malheurs, ne pourra jamais reprendre. Elle a treize ans et elle apprend cela, cette correspondance du livre à soi. Qui avait pu, avant Gide, la lui révéler aussi limpidement?

Elle n'a pas d'autres mots que ceux de la foi pour dire cet apprentissage : «bréviaire», «bible», «grâce», «bonheur». L'initiation ressemble à la révélation de Rousseau sur la route de Vincennes, au bouleversement affectif de Proust voyant surgir Combourg de sa tasse de thé.

Rousseau, Proust : deux écrivains, deux poètes en prose, qu'elle reliera plus tard à toute sa vie.

Il y eut encore Albert Camus. *L'Homme révolté* apporte les réponses au silence de Dieu. Que l'homme au physique «mâle et séduisant» soit tout bonnement le substitut de Dieu n'est pas sans révéler l'ironie narquoise de Françoise Quoirez. Pour remplacer Dieu qui s'est fourvoyé ou qui a trompé les hommes, il y a le play-boy d'Alger sanglé dans son trench-coat photographié sur les toits de Gallimard par Cartier-Bresson qui la regarde en souriant et proclame que l'homme a le pouvoir et la force, cette liberté-là, vaste et violente, de faire son destin. Sa solitude en la matière est signe de sa beauté et de sa grandeur. Il n'en faut pas davantage à Françoise pour adhérer spontanément à cet existentialisme sensuel. Elle ira, elle aussi, sur ce chemin de liberté, se frotter à son grand vent. Connaître la griserie de ce plaisir, être celle par qui se donne le monde et qui le fait pour ne pas le subir. Adolescente, elle sent en elle des énergies farouches et conquérantes. Elle a cet instinct de la lutte et de gagner, une violence inentamée, des pulsions sauvages qui la talonnent et qui se mesurent à l'inanité de l'existence, à l'absurde signification de la vie. «Se colleter avec les extrêmes de soi-même», avoue-t-elle dans *Des bleus à l'âme*.

Et puis il y eut Rimbaud qui lui donne le goût d'écrire et de la littérature, la certitude d'aimer. Elle associe ce jour-là, pelotonnée dans son vieux chandail, sous la toile de tente, sur la plage d'Hendaye, toute seule avec les *Illuminations*, la littérature à l'amour. Il n'y a pas d'autre apprentissage à l'amour, à l'admiration, au refus de l'ennui que l'étrange mystère auquel atteint la littérature, ces assemblages de mots qui touchent au secret de soi, à l'illisible et indéchiffrable silence. Comme Rimbaud, ce petit matin-là, sur la plage d'Hendaye, il fait presque froid. La plage est «encore grise sous ses nuages basques, filant bas et serrés sur la mer comme une armée de bombardiers». L'air de l'océan gonfle la toile de tente, Rimbaud embarque la jeune fille. Elle raconte la scène des années plus tard, elle n'a pas peur du ridicule de la situation ni d'être celle qui vous fait le coup de la scène de roman, au bord de la mer...

«J'ai embrassé l'aube d'été... » Les mots se découvrent, trahissent le mystère du monde. Être aussi cette passerelle, à quelque échelle que ce soit. Et qu'importe d'être un écrivain génial ou un piètre prosateur car l'écriture sauve quiconque s'y essaie. Rimbaud, c'est la foudre qui tombe sur la plage. C'est le feu qui se présente à soi, et qu'il faut tenter d'éteindre, c'est ce qu'elle appelle «le tocsin» qu'il faut tâcher de faire taire.

De Cajarc cependant, de ses plaisirs simples, elle n'oublie rien, ni les rumeurs des bals sur le Foirail ni les odeurs d'herbe mouillée après l'orage. Cajarc devient peu à peu l'icône secrète de son enfance, la mémoire d'un temps «au ralenti», mais qui est synonyme d'instants de bonheur arrachés au temps qui passe. Cajarc devient, dans son silence de province, le symbole «d'un temps sans cassure, sans brisure et sans bruit». L'espiègle «Lily» comme on l'appelle ici qui cherchera sans cesse à «s'étourdir» par la vitesse, l'alcool, le jeu, les hommes, reconnaît à Cajarc le don exemplaire d'être étrangère aux rumeurs d'une modernité qu'elle ne cessera de dénigrer. Il est possible que Cajarc lui ait révélé cette relation si singulière qu'elle entretient avec le temps, ce pouvoir de le traverser, de suivre discrètement le mystérieux parcours de l'existence.

Cajarc devient ainsi le lieu de l'appartenance, de l'identité. Qu'une voiture immatriculée autrement que 46 passe dans la ville la révolte presque. C'est que Cajarc est le lien, et peut-être même l'idée folle, ensevelie très profondément en elle, du bonheur qui serait l'impassible retour des choses, le lent et obscur mouvement des saisons. Des traces de ce bonheur idéalisé y demeurent : c'est le grincement du treuil qui remonte le seau rempli d'eau du puits ou la douceur des chiens qui restent couchés au pied de leurs maîtres, le cours indifférent du Lot.

Mais l'apprentissage continue, qui délaisse les glissades des chauve-souris sur la place de Cajarc et les heures qui sonnent, impassibles, au clocher de l'église. Il reste ancré en elle, fondateur, inévitable. Elle a seize ans encore quand elle fait «la ville buissonnière», quittant tous les jours de la semaine l'établissement où l'ont placée ses parents pour réviser son baccalauréat, première partie, auquel elle a échoué à la session de juin. Délaissant le rang des pensionnaires qui partent en fin d'après-midi en promenade, parce qu'elle trouve ridicule ce «troupeau» de jeunes filles arpentant les rues à heures fixes, elle s'en fait dispenser et, déjouant la surveillance, elle déambule dans un Paris qu'elle découvre, libre et vaste.

C'est donc l'été. Paris n'a pas la même physionomie en vacances, le même climat dans ses rues, quelque chose est comme en attente, prêt à mourir, une saveur de poussière et de feuilles qui se dessèchent, une torpeur qu'accroît la chaleur. Elle longe la Seine et y rencontre un clochard. Elle est assise sur le parapet d'une berge. En quelques impressions, Sagan décrit ce moment comme un instant de bonheur absolu, arraché au cours du temps. Soudain une silhouette «noire et maigre, avec un balluchon au bout du bras», se dessine dans le crépuscule doré. Elle aime ces heures qui se fanent, ces heures proustiennes qui donnent à voir confusément l'âme et la font vibrer. Un homme l'accoste et lui propose de faire un brin de conversation avec elle. Elle accepte sans hésiter. Toute sa personnalité se mesure déjà à cette spontanéité, à cette fascination pour la marginalité qui se manifestera bientôt par son goût pour les liaisons passionnelles avec des hommes plus âgés qu'elle, pour l'alcool, le jeu, la fête. Dans la relation qu'elle fera de ce moment inouï, elle insiste beaucoup sur le climat. Héritière des symbolistes, elle prête attention à cette lumière qui s'éteint, à ce soleil qui «s'abandonne à peine, au fond d'un ciel pâle». La jeune fille n'est pas timorée, elle n'est pas non plus libertine. La Seine et ses rives deviennent «son salon». Chaque jour de la semaine, au lieu d'être consacré à ses révisions, sera scandé par cette relation étrange, inattendue mais qui va donner du sens à ses questions, à ses inquiétudes. Le clochard qui, «un jour», avait abandonné femme, travail et enfants pour se retrouver libre sur les bords de la Seine, lui apprend secrètement «le goût du temps», ce goût, dit-elle, qui restera «accroché à moi comme une bête désormais familière». L'homme lui fait entrevoir la possibilité du «un jour», c'est-à-dire l'inattendu, la chose, le fait, l'être incroyable auxquels on n'aurait jamais songé et qui soudain fait basculer une vie, tout aussi bien l'anéantir que l'exalter.

Le retour dans la pension d'été, à l'institut Maintenon, rue Michel-Ange, est d'autant plus terne et dérisoire. Seule l'immuable promenade en fin d'après-midi «en troupeau» casse le rythme particulièrement dense. Françoise y éprouve dépit, ennui et même honte. Le trajet monotone avive cette violence secrètement entretenue au fond d'elle-même, active les désirs. Son indépendance d'esprit et sa quête solitaire la poussent naturellement à s'enfuir, à se couler seule dans «l'heure lente et grise» qu'elle affectionne, dans cette fadeur du temps qui passe et fait s'effacer toutes les formes, cette heure indécise où l'on ne sait qui de la lumière ou de l'ombre va céder. C'est dans ces moments «romantiques» que Sagan s'éprouve. La perte du jour, la perte d'un ami d'une semaine, fût-il inconnu, tout cela ne fait qu'un dans le grand et apparent désastre de la vie, découvert alors et auquel il faudra bien remédier pour ne pas sombrer à son tour dans l'absurde de l'oubli et la mort. Une grande force vitale l'anime à l'inverse de ce qu'elle donnera à voir, par son mode de vie que le siècle jugera dissolu, inepte. Mais que de forces à l'intérieur de soi pour empêcher justement que la vie délétère ne vienne tout effacer et réduire à néant l'instinct de vie!

Elle obtient le premier bac en octobre. Pour l'année de philo, ce sera le même scénario : échec en juillet, réussite à l'arraché en octobre. Sa désinvolture en classe est admirable. Elle impressionne ses camarades, Véronique Campion, Bruno Morel par son dédain pour l'étude, sa liberté intellectuelle et morale. Le monde change autour d'elle, elle en épouse très vite les rythmes, les mouvements, les tendances. Mieux encore, elle les croit naturels de sorte qu'il n'y a pas en elle l'idée de la transgression ou de la révolution. Elle fume et elle boit sans se soucier des convenances et des habitudes propres aux jeunes filles de son âge issues des milieux aisés. Les mères de ses camarades la regardent d'un drôle d'air et n'aiment pas trop son genre, mi-bohême mi-bourgeois, ses regards de biais qui paraissent sournois et pervers, cette manière de dire des choses abruptes et immorales avec innocence et candeur. Elle épate ses amis en les conviant dans sa chambre où ils refont le monde, elle fait salon en débouchant des bouteilles de whisky et en fumant des Chesterfield les unes après les autres. Le plus souvent, elle sèche ses cours, attend ses camarades moins hardis qu'elle à Saint-Germain-des-Prés à la terrasse des cafés existentialistes, Les Deux Magots, Lipp ou Le Café de Flore. Elle boit alors beaucoup, flirte sans remords. À l'heure du déjeuner, la petite bande se rend Aux Assassins, un restaurant où Germaine, la patronne, reçoit à la bonne franquette. Rendez-vous des artistes de la bohême anarchiste, elle y éprouve le plaisir intense d'être au cœur même d'un formidable changement de société, de pratiquer en pionnière cette émancipation des femmes à laquelle secrètement elle aspire. Chez elle, aucune théorisation du problème, aucune conscience politique à l'heure où cependant la résonance existentialiste appelle à l'engagement, social, politique, moral, à l'heure où les premiers attentats ensanglantent la terre d'Algérie. Françoise Quoirez ne vit pas non plus cette école buissonnière comme une réponse à un secret désespoir. Il n'y a pas alors en elle d'amertume et de douleur suffisamment sensibles pour se jeter à corps perdu dans l'ivresse d'une vie sans règles. En ce sens elle n'est plus une romantique, quoiqu'elle comprenne la débauche de Musset. Elle ne supporte aucune entrave à son libre désir. Ni les cours ni les obligations familiales. Comme Cécile, l'héroïne d'*Un certain sourire*, il y a toujours en elle «comme une bête chaude et vivante, un goût d'ennui, de solitude et parfois d'exaltation».

Paris devient sa complice. Elle aime à présent cette ville qui appartient, dit-elle, «aux sans scrupules, aux désinvoltes». Elle se retrouve dans cet anonymat, dans cette solitude qui font d'elle une étrangère, une nomade, ravivent sa jeunesse dont elle sent «le sang aux poignets» qui circule, rassurent sa surabondance de vie. Elle aime aiguiser son regard aux paysages de Paris dont elle découvre la beauté, surtout le ciel blanc, presque anémié, cette treille de ponts, de grues, de métros suspendus, de maisons aux fenêtres closes où s'abritent les secrets. Paris prête à l'errance, au vagabondage, à la rencontre. Elle a ses amis mais n'hésite pas, comme avec le clochard des bords de la Seine, à entreprendre des relations passagères avec des passants : c'est cette vie de passage qu'elle aime, cette hâte des rencontres où l'autre soudain se révèle dans sa vérité, sa grandeur, sa pauvreté d'homme, cet écoulement des choses et des êtres.

À cette époque, elle fonde le caractère qu'on lui connaîtra toujours. Cette façon d'accepter les «tristesses, les conflits, les plaisirs à venir» sans états d'âme et d'en être assouvie.

Cette force ou cette misère d'accepter «tout d'avance avec dérision».

Elle souffre alors peut-être intimement de cette jeunesse à peine éclose qui l'empêche encore de vivre dans une liberté adulte qu'elle singe souvent. Elle sait tout de cette jeunesse, de ses émerveillements mais aussi de ses esclavages, de ses contraintes. De ses carcans moraux qu'une société a mis en place, «et papati et patata...», ainsi qu'elle achève souvent ses phrases pour montrer la vanité de ses raisonnements. Elle n'aime pas pour cela flirter avec les jeunes gens de son âge, leur trouve trop de hardiesse, de «brutalité» et cette préoccupation intérieure de leur jeunesse qui lui répugne. Elle leur préfère les hommes plus âgés, les séducteurs quadragénaires ou bien les hommes de vingt-cinq ans qui ont en eux cette virilité dont elle désarme très vite la faiblesse et la vanité. Elle y découvre cette douceur et cette sécurité qu'elle recherche. Une commune liberté qu'elle éprouve dans l'abandon.

Elle porte à son frère aîné, Jacques Quoirez, une affection trouble d'«enfant terrible». Il l'entraîne dans son cercle d'amis et de fêtes, héros des nuits de Saint-Germain-des-Prés, l'initie à cette vie qu'elle fera sienne : délétère et joyeuse, sauvage et poétique. Comme les personnages de la pièce de Cocteau, le frère et la sœur vivent dans une complicité de roman, tous les deux avides et sensuels, pour éviter le terrible ennui des jours qui recommencent. Que les jours qu'ils inventent aient la clarté de la partition de Sydney Bechet qui joue dans les caves du Quartier latin, au Club Saint-Germain !

Son année de philo se passe dans cette perte de soi, dans cet inassouvissement des sens, dans cette «brûlure» heureuse et désirée. À l'âge où d'ordinaire les jeunes filles recherchent l'âme sœur et fondent leur idée de l'amour sur l'éternel modèle de Tristan et Iseult, elle a intuitivement la certitude que cet amour n'existe pas, que pour rester soi-même, elle est contrainte à la fatalité de l'infidélité et de l'indifférence, à l'inconstante nature humaine.

Mais elle n'en tire aucun dépit, aucune amertume. C'est ainsi. La vie ressemble à la tragédie. N'est-ce pas d'ailleurs le sujet de dissertation qui lui a valu l'année précédente à la session d'octobre du baccalauréat un triomphal et inévitable 17 sur 20 ? « En quoi la tragédie ressemble-t-elle à la vie ? » : telle était la formulation exacte de son sujet de français. On peut imaginer la démonstration de la jeune candidate. Puisque la vie est ce conflit funeste de contradictions et de désirs, autant en jouir et l'user dans le divertissement. Pascal n'est pas loin qui rôde dans les caves de Saint-Germain, et s'abîme dans le sommeil, en rentrant chez lui, tard dans la nuit, pour ne rien conserver du vertige jusqu'au moment fatal où du sens lui sera donné. Mais pour l'heure Françoise Quoirez n'est pas Blaise Pascal même si entre eux s'agitent la même surabondance vitale, la même avide sensualité.

Elle n'a gardé de l'enfance que ce visage boudeur et ces grands yeux ronds qui trahissent d'anachroniques et incongrues visions. Elle a aussi cette innocence dans la parole et cette naïveté qui peuvent inquiéter. Trop vite adulte et encore adolescente dans son physique, elle conserve une étrange gaucherie que les photographies de l'époque révèlent. Elle a, comme on dit pudiquement, un visage «ingrat», mais sa gravité d'infante impose une autorité qu'elle peut balayer cyniquement en quelques secondes d'un mot ou d'un geste. C'est pourquoi elle aime la nuit plus que le jour, la nuit où elle peut croiser des êtres qui lui conviennent ou lui ressemblent, où tout peut arriver, où s'avouent les vraies natures, dans une sorte de fraternelle communauté. De cette époque sûrement elle conservera une sympathie pour tous les paumés de la terre, pour les perdants, les joueurs, les menteurs, pour l'autre face du monde.

Sa culture littéraire s'étend aux romanciers du XIXe siècle qu'elle aime pour leurs audaces et leurs héros qui ne résistent pas aux flux de leurs passions : ceux de Stendhal surtout, Fabrice, la Sanseverina, Julien Sorel, qui vont tous au bout d'eux-mêmes, s'engagent librement dans leur destin, méprisent les routines d'une existence confortable, prennent le risque de tous les vertiges.

En philo, elle découvre Nietzsche. Adhésion totale et romantique pour le philosophe poète, pour le briseur d'icônes et pour son secret désespoir qui le fait mourir en reniant tout ce qu'il a exalté. Elle découvre peu à peu les enjeux de l'écriture, la magie des mots, cette nécessité intérieure dont on ne se dessaisit pas. «Le don d'écrire… Un cadeau du sort.» Elle s'y est essayée dans sa jeunesse : «À douze, treize ans, raconte-t-elle, j'ai écrit un roman, qui commençait par un accident de voiture. Je l'ai retrouvé par hasard

49

il y a trois ans à Cajarc où j'essayais à grand-peine d'é-crire. Son héroïne s'appelait Lucile Saint-Léger. Le nom même de l'héroïne de *La Chamade*. Et je l'avais complètement oublié... Le roman commençait avec une voiture qui dérapait. Lucile Saint-Léger était dedans. La voiture se retournait sur elle et la radio continuait à jouer. Et ça s'arrêtait là. » Elle a écrit aussi des pièces historiques : *Le Chevalier sanglant*, *La Reine captive*. Toutes des histoires tirées de souvenirs gothiques de romans de capes et d'épées. «Je les lisais à ma mère en bégayant, la pauvre! Je montais sur son lit et je lui lisais : "La reine : – Entrez, Sire. Le roi : – Non, je ne rentrerai pas. Entre un garde..." Ma mère m'écoutait très poliment et tombait dans un sommeil profond... »

Elle n'est pas loin de penser que la seule forme d'é-criture qui mène son auteur sur la voie royale des secrets de l'âme est la poésie. Elle tourne bien quelques vers pendant son année de philo et après, durant son année de propédeutique, à la Sorbonne. Mais en vain. «Sur le coup, je croyais qu'ils étaient bons et puis en les relisant, je me disais que non. Alors je les déchirais, je les brûlais avec les larmes aux yeux.» Elle lit, comme tous les jeunes étudiants de sa génération, Jacques Prévert. La prose poétique désenchantée et merveilleuse tout à la fois, la légèreté du poète qui ne doute jamais de l'inanité du monde mais préfère en sourire, la cocasserie du quotidien et surtout cet amour de la vie qu'il ne cesse de chanter en fustigeant l'ordre moral, l'Église et l'armée, les bourgeois, la famille et l'école lui plaisent beaucoup. Comme Prévert, elle aime la vie dès qu'elle est libérée de toutes les contraintes, comme lui elle a pour amis les animaux, les amants, les routards, les paumés…

L'échec à la session de juin de la seconde partie du baccalauréat ne l'affecte guère. Ces années de bac et celle qu'elle va engager en Sorbonne, si elle est reçue en septembre, sont les plus belles années de son existence. Années de liberté et d'indépendance, sans que ses parents n'en soient trop affectés. Tous les adjuvants de sa future écriture, tous les ferments qui vont la nourrir sont déjà là, puissamment exploités, l'alcool, la liberté de pensée et de parole, l'ivresse des nuits dans les boîtes de Saint-Germain, les copains et les flirts de passage, tous ces motifs vont illustrer l'œuvre qui se fomente. L'œuvre : ce petit roman de quelque cent quatre-vingt-neuf pages qu'elle méprise et qui, au regard de *La Chartreuse de Parme*, est une injure, dit-elle, à la littérature.

Le souvenir de son second bac la réjouit toujours. La dissertation française, sur Blaise Pascal cette fois-ci, la sauve donc encore une fois de l'échec à la seconde session. Elle ignore superbement l'histoire, la géographie («Quelle était l'industrie du Var?»), les mathématiques, l'anglais. Elle obtient 3/20 en oral d'anglais en voulant esquiver de manière bouffonne le sujet. Il s'agit d'expliquer une scène de *Macbeth*. Elle est incapable de formuler une phrase, se met à bafouiller et à mimer la scène en question. Elle prend à témoin l'examinatrice à la fois «stupéfaite et terrifiée». «Je l'ai menacée avec un poignard, j'ai marché d'un air sinistre autour de sa chaire, j'ai grimpé d'un bond, j'ai égorgé devant elle des enfants innocents, enfin j'ai tout fait.» Comme tous les grands introvertis, «énervée par sa propre impuissance» comme elle l'avoue, elle est capable de tout oser. Sa violence intérieure qu'elle contrôle d'ordinaire lui permet de tout transgresser. Son père aime «sa Lily» pour cela, pour cette nature qui lui ressemble, pour cet humour décapant, pour sa manière de remettre les choses à leur juste place.

Dans ces années-là, parce qu'elle passe plus de temps dans Paris qu'à ses cours, elle rencontre toutes sortes de gens. Expérience déjà éprouvée avec le clochard mais qu'elle renouvelle aux terrasses des cafés, sur les plates-formes des bus, dans les squares, tous des lieux publics qu'elle affectionne. Elle parle aux gens simples, aux chômeurs, aux artistes, aux pauvres, aux immigrés, aux étrangers. Elle se souvient : petite fille, tandis que Julia la coiffait sagement pour aller à l'école elle seule savait qu'elle sécherait encore une fois ses cours, elle arpentait le Marais, grignotait d'un morceau de pain comme les enfants de Doisneau et de Prévert, rêvant d'interminables vacances au bord de la mer.

L'échec en juin va l'obliger une seconde fois à n'avoir qu'un seul mois de vacances. Quelques semaines sur la côte basque et un mois et demi chez les demoiselles du cours Maintenon à tenter de rattraper les heures perdues à s'être amusée.

Hendaye, Hossegor, elle aime les plages fouettées par l'air de l'océan, les grandes étendues libres de sable, les parties de volley sur les plages chaudes avec des hommes jeunes et beaux comme des dieux et qui ressemblent, dit-elle, à des savons contre lesquels elle aimerait se frotter. L'idée même du remords lui répugne, trouvant dans son amoureuse initiation une gaieté, une légèreté qui sont le signe de l'innocence et de la vérité. Comme elle a lu dès l'âge de quatorze ans sa coreligionnaire des Oiseaux, Simone de Beauvoir, et même le sulfureux André Sachs, elle ignore le péché et refuse *a fortiori* de le trouver dans le corps et le sexe.

Sa manière de vivre quotidienne n'est pas transgressive. Très tôt, elle a ainsi organisé sa vie et son temps : d'un côté, la vie familiale à laquelle elle ne déroge pas, y trouvant même beaucoup de plaisir et de réconfort, et de l'autre, la vie d'étudiante avant l'heure qui lui plaît tout autant. D'un côté des parents «drôles, indulgents et pleins d'humour», ce sont ses mots, et de l'autre le cours Hattemer, «la gaieté sur la terre», le ballet des Vespa qui l'attendent à la sortie des cours, et comme elle le confie, «selon leur nombre, votre standing était assuré ou pas».

Sa vie est harmonieuse, sans révolte ni angoisse existentielle. Il y a quelque chose des héros de Tati dans sa description du chemin de l'école : «Un bout de chemin assez charmant : le boulevard Malesherbes, l'avenue de Villiers, la rue de Constantinople et les voies du chemin de fer qu'on traverse. Et la rue de Londres. Je déjeunais là où allaient toutes les filles et les garçons de la bande : au Biard, au self-service, au bistrot. Après je rentrais gaiement chez moi.»

Elle a à cette époque encore l'art de se défaire de toutes les situations pénibles et conflictuelles. Par-dessus tout elle déteste se heurter, entrer en conflit, par une sorte de paresse et d'indifférence tout à la fois, pour se trouver toujours au plus exact des choses qui lui conviennent, dans leur justesse. Ainsi découvre-t-elle ce qu'elle appelle «la force de la faiblesse» et sa volupté, cette manière de déjouer le problème, de le contourner afin d'accéder plus vite à son propre désir. Elle est plus instinctive que rationnelle, déteste les théories et préfère suivre ses instincts, ses émotions. La piscine Molitor est un lieu qu'elle n'aime pas. Pour éviter d'y aller lors des cours de gymnastique, elle choisit de mentir, découvrant que le mensonge est souvent une manière de fuir l'ennemi, d'esquiver subtilement l'affrontement pour atteindre soi-même son but. Déjà pointe La Rochefoucauld. Elle s'invente une profonde allergie à l'eau de Javel et feint de s'évanouir. «"Mon Dieu! Mon Dieu, disait la surveillante. Emmenez-la dehors." Et youp! on était dehors, en liberté et on filait au café à côté. On buvait un Martini comme si ç'avait été un poison violent!»
Les alcools bus aux terrasses des cafés ou dans les chambres d'étudiants renforcent l'ivresse de la

liberté, le désir de s'émanciper plus que de changer le monde. Françoise Quoirez n'est pas encore Françoise Sagan qui va s'engager pour l'indépendance algérienne ou pour la cause des femmes, encore que cet engagement n'aura rien de farouchement militant à l'instar de Gisèle Halimi ou de Marguerite Duras par exemple. Boire est plus simplement une façon de jouer, de faire un pacte avec ceux dont elle se sent proche, de se faire aussi plaisir. Car boire, un gin comme un whisky, du vin comme un Martini, est d'abord un moment exquis d'unité de soi, de rencontre exacte avec soi.

Mais la plus authentique des rencontres, elle sait bien que c'est par l'écriture qu'elle y parviendra. La découverte des plus grands lui donne dès le début la certitude de l'œuvre impossible : comment écrire des tragédies modernes après avoir lu Anouilh et Sartre? Comment écrire des romans après Proust? Ses tentatives d'auteur dramatique s'arrêtent à ses lectures mais par ailleurs comment accepter de ne pas écrire, comment ne pas s'y perdre? Elle considère très tôt les écrivains comme des héros singuliers, des perdants sublimes, des don Juan désespérés ou des farouches qui risquent tout.

L'instinct du jeu viendra peut-être de là : de cette impossibilité de résister à l'appel du risque, de sa lucidité à connaître les écueils et d'y succomber pourtant. Mais puisque la lecture des grands écrivains la conduit à une forme d'autocensure, elle canalisera son désir en faisant les dissertations de ses amis du cours Hattemer en échange de quelques travaux de mathématiques ou d'anglais. «Prenons le sujet bateau, raconte-t-elle, le parallèle Corneille-Racine. J'expliquais pendant trois pages pour la première (de mes amies) pourquoi Corneille était bien préférable à Racine et pour la seconde, pourquoi Racine l'était à Corneille. Quand j'avais ma dissertation à faire, je me trouvais comme une crétine. Mes amies avaient chacune 16, 17 et moi, pour mon machin extrêmement suisse, extrêmement belge, entre les deux... » Peu à peu se fonde l'idée que tout a déjà été dit, grandement et génialement, que personne après Nietzsche ou Proust ne pourra sonder avec autant de finesse l'âme humaine. Peu à peu se forge une pratique désinvolte de l'écriture qu'elle ne situera jamais sur des registres sacrés ou tragiques. Écrire sera toujours en deçà de ce qu'elle accomplira. Pour cela elle aimera surtout les écrivains, ses contemporains, parce qu'ils sont dans cette perte et devant cet impossible dilemme du dépassement.

La lecture précoce des écrivains lui apporte encore la certitude d'une dérision et d'un vide jamais comblé. «La vie me paraissait comme une énorme tragi-comédie», dit-elle de cette période de sa vie. Elle n'a pas le courage d'Antigone et d'Électre, elle perçoit cependant les enjeux de leur lutte et de leur désespoir, elle préfère au contraire taire cette violence intérieure qu'elle sent la traverser, et se jette dans le plaisir avec cette distance des vrais libertins, ceux du XVIIe siècle, avec indifférence et en souriant, avec cynisme et mélancolie. Quand elle écrira *Bonjour Tristesse*, deux ans à peine après cette époque, elle parviendra à cerner cet état de pensée. Ce qu'elle revendique alors, c'est «la liberté de penser et de mal penser, et de penser peu, la liberté de choisir moi-même ma vie, et de me choisir moi-même. Je ne peux dire "d'être moi-même" puisque je n'étais rien qu'une pâte modelable, mais celle de refuser les moules.»

Cette vie qui n'est qu'une illusion et qu'un pauvre théâtre l'incite à l'épuiser, à la débusquer, à la traquer. L'enseignement pratiqué dans les institutions religieuses l'a renforcée dans sa certitude profonde que tout est vain et de passage. Les heures de catéchisme sont heures perdues et bavardes. Prévert répond avec impertinence aux génuflexions et aux prières : «Notre-Père qui êtes aux cieux, restez-y et nous resterons sur la terre qui est si jolie.» Paris, le Pont-Neuf, les ruelles du Marais, la percée inattendue et si classique de la place des Vosges, les boîtes de nuit où Bechet joue *Petite Fleur*, les jeunes gens qui viennent la chercher en Vespa et foncent sur les pavés de la Concorde, oui, décidément la vie est jolie!

Le spectacle des noctambules qu'elle croisait au petit matin en se rendant à l'école l'a déjà réjouie intérieurement. Elle s'en souvient quelques années plus tard au cours Hattemer où elle sèche la classe sans scrupules. «Quand je partais pour la messe de 7 heures, je rencontrais les fêtards, entre les poubelles pleines de bouteilles de champagne. Je me disais : "Ils s'amusent plus que moi, ceux-là... ce n'est pas juste..." »

Pas encore bachelière, elle a cette maturité-là, cette force à l'intérieur d'elle-même qui la poussent à refuser une certaine nostalgie de l'enfance. Jamais elle n'aura regretté Noël ni joué à la poupée. Elle jette sur le monde un regard froid et lucide : « La spontanéité, un égoïsme facile avaient toujours été pour moi un luxe naturel. J'y avais toujours vécu. »

Pour autant les clichés de classe la montrent alors très discrète, cachée derrière sa frange, manifestement hostile à l'objectif : aucune impudence, aucune arrogance dans son attitude. Plutôt une sorte de désespoir sans appel et doux.

De nouveau donc l'été à Paris. Et cette boîte à bac que lui impose, une fois par an n'est pas coutume, un père soudain « tyrannique » et « sévère ». Quelques jours seulement de vacances avant de connaître le rythme ennuyeux des répétitions, des parodies d'examen, le « troupeau » humiliant des jeunes filles allant à la promenade. Elle vit ces jours-là avec délectation, dans ce Paris « vide et beau » qu'elle aime, parce qu'il lui donne alors l'impression d'une totale disponibilité. Paris ouvert aux rencontres, et qui dans sa solitude de capitale délaissée porte des airs alanguis, ses avenues qui s'étirent interminablement, ses parcs et ses bistrots peuplés d'étrangers et de vieilles dames. Tous ses amis sont partis au bord de la mer, mais elle savoure ces jours qui s'étirent, elle grignote «en robe de chambre» les croissants qu'elle est allée acheter chez le boulanger de la rue Jouffroy, sirote un mauvais café à la terrasse d'un café. Cet état de langueur lui convient bien, chez elle jamais d'acharnement et de compétition dans les études, peut-être cette certitude du passage, cette manière d'être, comme elle l'écrira plus tard, «incertaine, excessive et contradictoire».

Le désœuvrement est un état qui n'est pas exempt de secrète créativité, de profonde et sauvage énergie logée au plus loin de soi. Elle sait ces choses-là intuitivement, comme l'ennui que décrit Moravia, lourd de désirs et de vie intérieure profondément dissimulés au regard des autres.

Sa mère soudain exigeante : «Tu ne l'as pas volé!», (le séjour d'été en pension) et son père abruptement autoritaire ne la révoltent pas. Elle accepte la pension au cours Maintenon avec une sorte d'indifférence et de nonchalance qui révèlent sa conception du temps ou plutôt l'initient naturellement à elle. Le temps passe comme le dit Apollinaire, et il s'agit d'en découvrir l'obscur mystère, de jouir de son passage et de s'y couler. Il y a chez elle une lenteur et une hâte mêlées, un goût de la vitesse et un désir d'immobilité, une façon d'être chat et de dévorer le temps, de brûler les étapes, de risquer, de jouer et de se dérober. Observer Paris du haut de l'Arc de Triomphe et mesurer l'ampleur de la fourmilière, voir s'agiter cette humanité grouillante, savoir qu'en chacun de ces êtres se vit une histoire, un roman peut-être. Quelque chose de pascalien dont elle comprend le sens profond. Pascal qui sera l'objet de son épreuve de philosophie qu'elle réussira avec cette «facilité» qui déconcertait déjà son professeur du cours Hattemer. Une facilité à saisir les liens secrets des choses et des êtres entre eux plus qu'une «profondeur de pensée».

Elle a cependant une capacité d'humour tout à fait exceptionnelle pour son âge. Chez elle se mêlent à la fois une ironie souriante et une lassitude mélancolique. A-t-elle trop lu les grands moralistes de l'époque classique? Madame de Clèves l'exaspère pour s'être retirée dans un couvent quand elle ne brûle que pour Nemours. Il ne faut prendre de ce temps qui passe que la vie qui y circule, en jouir et en éprouver la brûlure insigne et passagère qui ne laisse que des «bleus». En amour, ne rechercher que «l'écroulement» dans la passion, que des hommes seuls capables de lui apporter cet abandon violent, insaisissable et fugitif. Dès lors quel ennui que ces jeunes gens de bonne famille qu'elle regarde d'un air narquois! Son sourire doucement ironique est ravageur. Elle a, dans cette année qui précède la conception de *Bonjour Tristesse,* «un charme indéfinissable» qui exerce auprès de ses proches une étrange attraction.

Cette lassitude mêlée d'excitation qui la caractérise vient-elle de cette lointaine nostalgie d'être un jour un écrivain? Elle sait cela depuis l'enfance, qu'être un écrivain est sans aucun doute le métier le plus grand, le plus vaste, le plus disponible au grand souffle du monde et le plus solitaire à la fois. Mais aussi le plus inaccessible. Alors qu'elle est encore dans ce couvent des Oiseaux où elle a fait de si brèves études, elle se rend un matin à la première messe pour aller communier. Péché d'orgueil et de vanité au cœur même de cette eucharistie puisqu'elle implore Dieu de faire d'elle un écrivain riche et célèbre. « Je m'étais juré, écrit-elle, d'envahir cette ville ouverte et d'y connaître les soleils de la gloire. »

L'immense succès de *Bonjour Tristesse* sera donc vécu comme une grâce, une « bénédiction », une facilité de plus qui pour autant d'ailleurs ne la réconciliera pas avec la religion.

Reçue enfin à la session de septembre du baccalauréat, elle envisage d'entrer en propédeutique en Sorbonne. La fin de l'été s'achève dans une douce euphorie, celle de vivre enfin une vie plus libre et plus émancipée, en rapport direct avec ses affinités, et celle de retrouver ces fins de saisons qu'elle affectionne particulièrement, surtout les mois de septembre et de juin, aux clartés dorées et aux souffles à peine tièdes et désormais sans passion. L'automne au Luxembourg ou au Marais l'enchante, et puis cette impression ressentie de flétrissure, de nature épuisée, quelque chose en elle qui se meurt. La ville alors retrouve tous ses attraits, fascinante et nocturne, artificielle et électrique, où les êtres s'épuisent à leur tour dans des caves obscures et aveugles au rythme de saxophones déchirants.

Elle connaît l'existence ordinaire des jeunes filles de son âge, encore que ses parents lui accordent une liberté mesurée mais indulgente. Elle fréquente des surprises-parties, en éprouve déjà l'accablant ennui, la sensation inexplicable de l'inutilité et du manque, affectionne cependant cette ambiance anonyme et interlope où les êtres se confondent et s'abandonnent. Elle ironisera plus tard sur l'incompétence familiale à maîtriser cette nouvelle situation, sur l'arbitraire de son père en matière d'autorisation à sortir le soir, sur l'innocence de sa mère acceptant «gaiement une soi-rée chez une amie de classe, soirée que nous passions à repousser les mains du père de ladite camarade et de ses amis»!

Elle aime «passer la nuit à danser, à boire et à échanger des onomatopées». Les situations décalées, inattendues, improvisées la ravissent non par souci unique d'anticonformisme, habituel à son âge, mais surtout par nature, parce qu'elles la confrontent à des vides, à des vertiges de vides, jouissifs autant qu'amers.

Que l'amour se réduise pour elle à «des rendez-vous, des baisers et de la lassitude» entre dans cette problématique qui va conduire toute sa vie. Cette vie-là, elle la sait d'entrée de jeu incertaine, peut-être même inutile. C'est comme si elle avait fait très vite et presque intuitivement, sans expérience, le tour de la question du sens de l'existence. Pour autant ne pas se résoudre à un vague panthéisme, à un «carpe diem» scolaire et finalement convenu. La vie entraîne à cette posture désabusée, à une lucidité infinie qui peut confiner à un certain cynisme. C'est l'époque où elle lit Sartre et en éprouve une grande fascination. Lisant *La Nausée* particulièrement, elle s'oblige presque à retrouver les états de «dégoût nauséabond» qu'éprouve Roquentin. Elle aussi se reconnaît épisodiquement «de trop», comme les choses alentour, «de trop pour l'éternité». Paris colle à cet ennui, les journées sont uniformes et renforcent cette impression de dissolution. Mais la clarinette de Sydney Bechet et les virées au Kentucky pourraient peut-être vaincre l'arbitraire des choses et du destin. Et si elle y échappait en accomplissant le rêve secret de Roquentin lui-même : se sauver par l'art, par l'écriture? Et si Proust, lu à la même époque, détenait la vraie réponse à apporter à Roquentin : vaincre par l'écriture?

Quand elle s'inscrit en Sorbonne pour son année de «propé», quelque chose en elle veut échapper à ce poids du temps. Elle découvre les amphis où il est impossible de trouver une place, et préfère rêver à la terrasse des cafés de Saint-Germain-des-Prés, fréquenter les boîtes de jazz avec ses amis étudiants où l'on danse pieds nus des après-midi entières, flâner au Luxembourg et flirter. Le jeu, la musique, l'alcool, les garçons, l'équation est simple. Tous sont sur le même plan, ils ne sont ni des expédients ni des outils de connaissance : plutôt des divertissements au sens pascalien du terme. Déjà Françoise Quoirez devient Françoise Sagan, petite Saint-Simon des années d'après-guerre. Mais l'évolution n'est pas encore achevée. Amoureuse initiation qui requiert du temps et ce surcroît de lucidité qui va sceller le personnage.

Son amie, Florence Malraux, la fille du romancier, sa complice et sa sœur, lui fait découvrir les écrivains russes. C'est une grande révélation et singulièrement celle de Dostoïevski, qui sera à la fois pour elle un stimulant extraordinairement créatif et un frein. Car comment rivaliser avec les gouffres du Russe maudit? Comment atteindre ses pics de détresse et de vérité? L'écrivain lui apporte alors le sens de la modestie dont jamais elle ne se départira. Sa petite voix insignifiante, comme elle-même la désigne, est tout entière tremblante des obscurs mouvements de l'âme de Dostoïevski, et tente de les dire.

Elle a toujours une santé fragile, un physique frêle que contredisent son énergie intérieure et sa violence qu'elle veut mater tant elle craint la force de l'incendie. Son regard allumé d'un «certain sourire», narquois et ironique, brouille les pistes, fait oublier l'ennui. Elle aime le soleil et la mer pour ces raisons-là. Ils sont l'antidote magique à son malaise, à cette tristesse qu'elle garde au fond d'elle-même. Plus que la côte basque, fouettée par des vents forts, sage et familiale, surtout à Hendaye, elle rêve de la côte méditerranéenne, plus ardente et plus propice pour jouer, franchir les tabous, user pleinement de sa liberté. Mais ce n'est pas le séjour qu'elle fera à Cannes avec ses parents qui va la délivrer de son ennui. Certes, elle éprouvera des moments d'intense bonheur en montant à cheval dans l'arrière-pays de Mandelieu. Sa hardiesse de cavalière jamais démentie depuis ses randonnées dans le pays de Cajarc, pendant son adolescence, lui fera tout oublier un temps. Monter un cheval est pour elle synonyme de bonheur absolu. Dans un ouvrage paru en 1993, *Avec mon meilleur souvenir*, elle évoque ce temps béni où elle montait Poulou dans le Dauphiné : «J'étais, dit-elle, au comble de l'enfance, du bonheur, de l'exultation.» Le cheval lui inspire les plus beaux élans descriptifs qu'elle ait jamais pu écrire. Elle, généralement si pauvre pour décrire un paysage, évoque les couleurs, les climats, les bois et les champs galopés comme une Colette retrouvée.

À Mandelieu donc, elle traverse, «étriers déchaussés», des forêts de mimosas. Ivre de «l'odeur incroyable», elle parvient à quelque chose de mystérieux, «à ces conjonctions instantanées qui sont les formes parfois les plus vives du bonheur de vivre, et de l'acceptation de mourir». C'est toujours dans ces extrêmes et dans ces liens où se côtoient la vie et la mort, de manière indéfinissable, à la façon dont Proust parle des senteurs, elles aussi incroyablement pénétrantes, des aubépines, qu'elle fonde son goût profond de la vie, sans aucune velléité de suicide. Mais l'ennui est aussi rétif que l'est le cheval. Il ne se laisse pas désarmer aussi vite. À Hendaye, le rituel de la vie de famille la fait se baigner à onze heures, lire ou jouer au bridge avec ses parents à deux heures, se rebaigner à cinq et prendre l'apéritif à sept. Comment échapper à cette impatience qui la talonne et à laquelle s'oppose le constat farouche de l'existence?

Elle pourrait rêver comme les jeunes filles de son âge à l'amour idéal, à cet «écroulement» qu'elle évoquera plus tard. Mais l'amour lui paraît le plus souvent un leurre, un espace inaccessible, un sublime mensonge. Les rencontres improvisées, le sentiment léger de l'existence lui conviennent mieux, prêtent moins de résistance à sa lassitude et à cette obscure sensation de solitude qui ne la quitte pas. Cet été 1953, elle «erre» – c'est son mot – dans Paris, «comme une âme en peine». Est-elle vraiment tombée amoureuse de cet homme plutôt jeune mais son aîné de onze ans cependant, Louis Neyton, que son frère connut en Isère et qui maintenant s'est installé à Paris? Séducteur et impudent, il rend souvent visite aux Quoirez et retrouve Françoise qu'il avait quittée autrefois, petite fille. Une idylle se noue qui ne laisse pas de trace profonde en elle. Les lettres qu'elle lui adresse sont nourries de toute une sentimentalité convenue qui n'est pas de la veine ordinaire de la future romancière. Il semblerait même qu'elle joue à l'amoureuse qui se languit en l'absence de son «fiancé». «Je suis seule, je suis loin de toi... » lui écrit-elle, mais y croit-elle vraiment?

Elle soupçonne que l'amour se déploie dans des vertiges plus abrupts et plus sauvages. Que cette sentimentalité dont elle nourrit ses lettres fait partie de tout l'attirail bourgeois dont elle est encore héritière. Dérision de cet amour. Il lui faut plutôt «des choses blessantes et dures», comme le lui écrit Louis Neyton, pour qu'il s'embrase et atteigne à «l'écroulement».

Dérision donc et légèreté, frivolité même et attraction pour l'insignifiance des choses et des êtres, pour leur banalité, sublime à la fin, pour cette usure de la vie par la fête, pour le goût de la nuit où enfin les masques tombent et laissent apparaître les vrais visages, les vraies douleurs, et, grandiose et misérable, la tristesse. De qui? De quoi? De l'absolu sûrement.

Est-ce pour toutes ces raisons confusément ressenties qu'elle cherche à lire un ouvrage sur les possédées de Loudun? Sur ces religieuses embrasées du démon, vouées à la nuit de Dieu? Les états extrêmes, les sentiments limites, les nuits blanches réparent le manque originel, masquent le désastre. Et le désastre, c'est d'abord, nue, atroce et intolérable à jamais, la vision dantesque des camps d'extermination dont elle ne se remet pas depuis l'enfance. Dieu, la droite, les institutions bourgeoises et chrétiennes ont fait les frais de cette révélation. Comment panser la blessure? Échapper à cette trace indélébile? Elle forge lentement sa philosophie, celle qu'elle va pratiquer tout au long de son existence, en fortifiant son instinct de vie. «Adhérer» totalement à la vie, écrit-elle dans *Des bleus à l'âme*, recouvrir le pauvre corps humain «nu, efflanqué, tremblotant de notre solitude» de ces instants d'existence, arrachés à la nuit sans âme et sans esprit. La fraternité retrouvée des surprises-parties, la chaude clameur du saxophone dans une cave romane surchauffée de Saint-Germain, voilà qui arrache en quelque sorte des petits bonheurs à l'irrésistible érosion du temps. Le désir est frénétique parce qu'aucun amour, aucun plaisir ne saurait la limiter et la contraindre, aucun lien ne saurait suffire. À l'à quoi bon désespéré des Jeune-France romantiques, elle oppose, non moins romantique, mais plus tonique, un «jamais assez» qui ne veut pas connaître de fond.

Urgence de vivre donc, à laquelle fait écho le frémissement de toute une génération que la guerre a affranchie. Mais le spectre de la violence se profile de nouveau à l'horizon. 1950 : début de la guerre de Corée. 1951 : début des luttes pour l'indépendance en Tunisie et au Maroc. 1953 : inquiétantes émeutes en Algérie. Staline meurt. La guerre d'Indochine fait rage. Beckett et Ionesco rapportent l'angoisse et la douleur des fins de partie. C'est le temps où se créent *En attendant Godot* et *Les Chaises*. Elle rit cependant à une générale des *Bonnes* de Genet, n'y comprenant pas grand-chose. Il faut des antidotes plus puissants pour se prémunir de l'ennui qui la «brise», dit-elle : la vitesse, l'alcool, les amours légères sur lesquelles le temps ne pourra pas sceller sa marque. De Tennessee Williams qu'elle rencontrera bientôt en Amérique, et qui l'enchantera, elle saura que l'on ne ressort «mince, jeune, délivré, triomphant, poète quoi» qu'après s'être abandonné à l'épreuve de ces plaisirs, aux paris auxquels ils obligent. Mais tous ces plaisirs ne sont ni des provocations ni des folies lancées au visage des générations précédentes. Plutôt des «élans de bonheur», dit-elle.

Car la quête est bien là, dans cette violence de vivre qui s'empare de ceux qui ont survécu à la guerre. Les débats moraux et sentencieux des aînés sont jugés obsolètes et «le bonheur fou» auquel aspire le héros stendhalien devient le modèle des jeunes romanciers. L'irrévérence et la frivolité, l'amertume et la légèreté s'imposent comme les modèles de la nouvelle *way of life*. L'intrusion de l'Amérique dans les mœurs européennes favorise le goût de briller et de jouer.

L'insolence et la hardiesse du groupe informel des «Hussards» commencent à faire parler de lui dans la petite république des Lettres de Saint-Germain-des-Prés. Blondin, Nimier, Laurent, Fraigneau ont «l'allure cavalière», les dandys anars ont la plume et le regard narquois, leurs phrases ont la rapidité sèche et cinglante des balles de revolver. Les lit-elle déjà, ceux qui chercheront plus tard à l'intégrer à leur groupe et auxquels elle se dérobera toujours, voulant conserver cette indépendance de chat qu'elle a si tôt acquise?

Elle a découvert à jamais Marcel Proust dont la finesse d'antennes parvient à sonder si cruellement les ressorts de l'âme humaine. L'exigence du narrateur, son regard vif et qui recueille les plus fragiles détails, ses analyses psychologiques, sa méthode romanesque, tout la charme et la frustre à la fois. Être Proust, mais comment déployer autant que lui «l'édifice immense du souvenir» par quoi tout s'explique et se révèle? Reconnaître au moins l'héritage : «il m'a tout appris».

Elle aime mentir et cela depuis longtemps. Le mensonge est parade contre la pauvreté de la vie quotidienne, espace ouvert sur l'imagination, moyen de fuir. La vitesse est à ce titre un mensonge, elle trompe l'œil, elle «aplatit les platanes au long des routes, elle allonge et distord les lettres lumineuses des postes à essence, la nuit, elle bâillonne les cris des pneus... elle décoiffe aussi les chagrins».

Mentir est donc art de vivre, «tentative de survie». Depuis des mois, elle a annoncé à ses amis, à ses parents qu'elle écrivait un roman. Elle n'a pas en fait aligné un mot devant l'autre, pas écrit l'ombre d'un chapitre. «Je prenais des airs mystérieux pour susciter la curiosité autour de moi», raconte-t-elle. Mais le mensonge n'est pas innocent. Il l'accule à sa réalisation, il active le fantasme. La jeune fille qu'elle est alors éprouve violemment les contraintes imposées à son sexe, à son âge et à sa classe sociale. Quelque chose en elle se révolte : mentir, c'est comme une manière de s'ébrouer, de refuser. Prétendre qu'elle est en train d'écrire un roman, c'est déjà l'accomplir, déjà faire œuvre de fiction, déjà entrer dans le trou noir de l'invisible, déchiffrer les illisibles lois du cœur.

L'échec à propédeutique ne la contrarie pas outre mesure. Les cours de Sorbonne ont fini par lasser sa molle volonté de travailler. Elle a pris goût aux virées au Vieux-Colombier, où elle écoute «les clarinettes de Sydney Bechet et de Reveilloty». Comme elle n'a plus d'argent pour rentrer en bus boulevard Malesherbes, elle traverse Paris au pas de charge, rentre, essoufflée, pour dîner, raconte à table que le cours était génial.

Quelquefois dans la salle enfumée du Vieux-Colombier ou dans la Peugeot décapotable de son premier flirt, Louis Neyton, dans la touffeur du bois de Boulogne, elle croit entendre le refrain mélancolique et lancinant de Paul Éluard :

«Adieu tristesse
Bonjour tristesse
Tu es inscrite dans les lignes du plafond
Tu es inscrite dans les yeux que j'aime
Tu n'es pas tout à fait la misère
Car les lèvres les plus pauvres te dénoncent
Par un sourire
Bonjour tristesse... ».

Et si elle profitait de cet été, prometteur d'ennui, pour mettre en ordre les notes disparates de ses brouillons, écrites dans un «petit cahier bleu», attablée au fond d'un bistrot «où le patron débonnaire [lui] laissait siroter interminablement un café imbuvable»? Écrire autrement l'accablante intrusion de la tristesse.

Écrire aussi «ce qu'elle veut», comme elle le dit, parce que les temps ont changé et que les jeunes filles n'ont plus la même docilité que leur mère. Elle capte cet air nouveau, elle le respire avec une violente avidité, veut prendre la vie comme elle prend son cheval, avec cette liberté et cette impudence qui lui font ne rien craindre, ni les chutes ni la solitude dans les causses déserts. Elle est alors, en cet été 53, une jeune fille qui incarne et résume toutes les aspirations d'une certaine jeunesse, celle qui fera changer le monde, l'ouvrira aux temps modernes. La fréquentation d'amis disponibles à la fête, à toutes les expériences amoureuses, à l'ivresse de tous les sens, à l'intelligence enfin, tempère ce qu'elle a tôt découvert, l'ennui et la vanité de vivre. En ce sens, elle comprend parfaitement les héros sartriens qu'elle revisite et dont elle convertit la nausée par le jeu et l'accueil des sens. Elle a la conscience aiguë de la jouissance et du malheur du monde : épicurienne et sceptique à la fois. Pour ces raisons, elle aime Mozart, ses fugues virtuoses et ses plaintes nocturnes.

On dit encore, mais ce sont des témoignages très tardifs, qu'à cette époque, elle exerce un charme indéfini, que n'expliquent ni sa beauté ni sa culture. Elle aime qu'on l'aime, elle aime être entourée, inspirer cette attraction.

Mais elle préfère le silence du jardin secret, le lieu de l'écriture dont elle soupçonne les gouffres et les vertiges. Elle sait aussi qu'elle ne les atteindra jamais. L'œuvre commence donc dans la frustration et le manque. Il n'enlève rien à la force interne de son désir, au contraire il la motive, lui donne les moyens d'avancer. Fini le journal intime qu'elle écrit courageusement depuis des années, elle le brûle même, s'attelle à ce qui devient peu à peu une histoire, un roman, dont elle ne sait pas ce qu'il vaut. Peu de choses cependant avoue-t-elle, jamais par fausse modestie mais avec cette sincérité désarmante et nue qui lui donne néanmoins toutes les audaces. Peu à peu s'organise ce qu'elle qualifie elle-même de « petite bleuette péniblement scandaleuse », *Bonjour Tristesse*. C'est la suite logique du désir inavoué, celui d'écrire quoi qu'il advienne. Elle a commencé par écrire de la poésie puis des pièces de théâtre, et ces deux dernières années qui précèdent *Bonjour Tristesse*, de petites nouvelles qu'elle a apportées naïvement aux rédactions des grands journaux, notamment *France-Soir* qui « lui disait quelques mots gentils » mais qui ne prenait jamais les textes.

L'écriture est une force suffisamment supérieure pour la retenir à son bureau ou à la table inconfortable d'un bistrot, lui faisant dédaigner les sorties et les flirts. En 1956, elle dira ce qu'elle avait toujours pensé : « Ce qui m'intéresse le plus dans ma vie, à part une ou deux personnes, c'est écrire. »

Livrée à elle-même, refusant de s'entasser de nouveau dans des amphithéâtres bondés bien qu'elle se soit réinscrite à propédeutique, préférant les petits cafés de Saint-Germain-des-Prés, elle se dit « désœuvrée mais exaltée ». Elle remplit des pages du petit cahier «bleu», précise-t-elle, sagement, avec régularité et précision. Peu à peu l'intrigue de *Bonjour Tristesse* apparaît. Elle laisse faire les personnages qui naissent, les tend seulement d'une écriture précise, simple, presque détachée. Elle peut écrire ainsi des heures dans la rumeur bavarde du café Cujas, dans la fumée des cigarettes. Elle sait qu'elle «n'arrivera jamais à passer son examen», elle préfère de loin l'activité dilettante et sauvage à la fois d'écrire un roman, les atmosphères déliées des lieux de rencontres. Elle a maintenant le temps d'accomplir un vrai roman avec des développements psychologiques et des situations diverses qu'elle analysera avec une précision d'entomologiste, avec ce regard cruel et cynique qu'elle a acquis pour voir le monde.

Elle possède au plus haut point l'art et le goût de ne rien faire, elle aime ces états passifs, presque mélancoliques. Au fond d'elle, tapies et redoutables, une violence et une force de désir qui la talonnent sans cesse. Elle veut traduire cet état, la nonchalance des étés qu'elle connaît bien et la brûlure secrète des êtres, cette vie douce et amère dont elle entrevoit le drame, cette légèreté dont il faudra bien se parer si l'on ne veut pas subir l'atroce douleur de la solitude, irrémédiable, parfaite.

Écrire donc. Parce que l'acte même est dépassement de cette solitude et de ce désarroi pressenti et souffrant. Parce que le labeur de Proust est sublime, parce qu'il faut bien essayer de comprendre quelque chose aux souffrances de Charles Bovary et d'Adolphe comme aux passions violentes de la Sanseverina, tous des héros qu'elle aime.

Mais en même temps, désir de gloire et de facilité. Faire en sorte que l'écriture permette de changer le monde et la vie, la rendre plus agréable aussi. Elle a ce qu'elle appelle «un petit côté Rastignac». «Un jour, dit-elle, tout le monde saura que je suis écrivain.» Elle possède au plus haut point un orgueil et un narcissisme qui la rendent différente de ses amis.

Dans la solitude habitée du Cujas, elle écrit et réécrit *Bonjour Tristesse*, mais dans cette apparente lenteur il y a quelque chose d'empressé et de hâtif, quelque chose qui veut aller vite, qui correspond à ce désir de tout posséder parce que la conscience de la mort est trop présente et trop vive. «Il me faut tout très vite», avoue-t-elle alors. L'urgence de vivre est crainte de mourir.

Elle n'est pas cependant tout à fait satisfaite de son travail. Comment le pourrait-elle après avoir déjà admis son propre échec à la lecture précoce de Proust et de Dostoïevski? Elle range le manuscrit dans un tiroir et reprend le cours facile de sa vie d'étudiante. On est à la rentrée universitaire de 1953. Sur les instances de sa sœur qui la trouve un peu malheureuse et déprimée, elle va voir une voyante, rue de l'Abbé-Groult, que Suzanne consulte souvent. La voyance est fulgurante: «Vous avez écrit un livre, ça va très bien marcher.» La prédiction renforce son énergie et détermine sa conviction. Écrire, c'est atteindre au cœur des choses et du monde, c'est aussi, si le succès promis est au rendez-vous, le moyen d'acquérir sa liberté. Elle aime ce genre de défi. Il faut, en 1953, de la violence à une jeune fille de dix-huit ans pour le relever avec cette obstination et cette certitude.

Aussitôt elle reprend foi en son manuscrit. Elle le retrouve, le donne à une dactylographe qui lui rendra, dit-elle, un travail médiocrement tapé, et commence à espérer.

Il y a des hasards qu'*a posteriori*, l'on croirait arrangés. Ils sont seulement organisés par une sorte de logique interne qui détermine un moment, font la légende.

Elle lit Jean-Paul Sartre depuis le lycée. Elle lui écrira en 1980 une *Lettre d'amour* pour lui raconter tout ce qu'elle lui doit : «Ce que vous m'aviez promis à l'âge de mes quinze ans, âge intelligent et sévère, âge sans ambitions précises donc sans concessions, toutes ces promesses, vous les avez tenues.» Elle a tout lu de lui, *Les Mouches* et *Huis-Clos*, *Les Mains sales* et *Le Diable et le Bon Dieu*. Elle aime cette manière qu'il a de se «jeter toujours, tête baissée, au secours des faibles et des humiliés», cette force de «croire en des gens, des causes, des généralités» et ce courage de reconnaître qu'il a pu se tromper. Elle aime encore Simone de Beauvoir parce qu'elle forme avec lui ce couple de légende, libre et intelligent ; et qu'elle a lu dans une sorte de délivrance et d'affranchissement personnel *Le Deuxième Sexe*, cette bible de la libération des femmes. Sartre et Beauvoir sont à ses yeux la jeunesse de la littérature, ils précèdent toutes les révolutions, ils font accéder leurs lecteurs à l'intelligence et à la lucidité. Elle sait intuitivement tout ce qu'elle leur doit. Aussi lorsqu'elle apprend que Jacqueline Audry, la rare femme cinéaste que le cinéma français puisse compter, est en train de tourner *Huis-Clos* dans les studios de Boulogne-Billancourt, elle s'y rend sans hésiter. Elle parvient à se faufiler sur le plateau et comme elle savait autrefois s'y prendre dans le grenier surchauffé de Cajarc, se faisant toute petite pour lire les livres défendus, oubliée du monde et oublieuse de lui, elle se tapit dans l'ombre et assiste, fascinée, au tournage du film. Audry, qui est considérée comme une grande cinéaste, finit par la découvrir, s'inquiète de sa présence, lui demande qui elle est. Françoise répond : «Personne». Elle restera pour toujours «Mademoiselle Personne».

Sa silhouette fragile, son petit air moqueur et la vivacité de son regard n'échappent pas à la cinéaste qui la trouve finalement sympathique et accepte, chose extraordinaire, qu'elle revienne assister aux autres séances... Elle déserte plus encore les bancs de la Sorbonne trouvant dans le travail de Jacqueline Audry de quoi se nourrir davantage. Et puis elle juge le texte de Sartre admirable, elle adhère totalement à l'intrigue, à l'unité racinienne des dialogues, croyant déjà comme Garcin, le héros de la pièce, qu'il n'y a pas de fuite possible, qu'on est, quoi qu'on fasse, soumis au regard des autres, égaré et solitaire.

77

Peu à peu entre la jeune fille et la cinéaste s'établit une relation de confiance et d'amitié. Audry voit en elle une sorte de Gigi nouvelle vague. Elle sait de quoi elle parle puisque c'est à elle que Colette a confié les droits de son roman. La légèreté grave de Françoise, ses airs moqueurs et amusés de qui n'a pas froid aux yeux et qui cependant sait les baisser quand il le faut, cette intelligence qu'elle soupçonne en elle, cette manière qu'elle a de parler des rapports entre les êtres, adulte et encore enfantine, la touchent beaucoup. Françoise, d'ordinaire si discrète, qui finit par lui avouer qu'elle vient d'écrire un roman. Qu'a pu donc écrire une jeune étudiante, issue de la bonne bourgeoisie industrielle?

La légende veut qu'elle écrivît *Bonjour Tristesse* en dix semaines, ce qui la rapproche du record de Stendhal qui, lui, composa *La Chartreuse de Parme* «en cinquante jours», selon ses propres mots. Elle ne veut pas néanmoins rivaliser avec lui qu'elle considère comme un des plus grands écrivains du XIXe siècle, mais quelque chose en elle de naïf et de défiant cherche à sonder de la même manière les cœurs et les comportements, avec le même scalpel et la même apparente ingénuité.

Se souvient-elle du *Diable au corps,* de Radiguet et des *Liaisons dangereuses,* de Laclos pour ignorer à ce point le paysage et la sensation et leur préférer la mécanique des cœurs, manifester une indifférence absolue au bien et au mal, révéler un tel sens de l'analyse ? Elle écrit entre deux cafés, entre deux whiskies, avec cette nonchalance qui lui est familière et surtout sans rouerie. Cruelle et désinvolte, amorale et intelligente, elle ne cherche aucun effet, aucun artifice, elle écrit dans cette détresse souriante qui est logée en elle et qu'elle-même n'a pas encore tout à fait comprise.

Connaît-on dans son entourage le monde qu'elle porte en elle ? Florence Malraux, Véronique Campion, ses amies, soupçonnent-elles sa vision de la condition humaine, cette lucidité tragique et ce sourire désabusé qui adoucit et apaise tout, la tristesse et le malheur ?

Ses parents eux-mêmes ne prêtent pas attention au petit cahier bleu qu'elle prétend noircir avec assiduité : passe-temps d'étudiante en lettres, activité romantique de jeune fille...

Elle mène secrètement cependant son projet, démêle un à un les fils de cette passion dont les protagonistes et le huis clos ont quelque chose de racinien. Parle-t-elle, pense-t-elle comme les jeunes de son âge ? Elle le prétend dans un entretien qu'elle accordera à la parution de son roman : «le ton de mon héroïne est celui que je crois connaître chez les gens de mon âge».

1953 : «les gens de son âge» justement sentent la société bourgeoise de leurs parents vaciller. Plus de réponse aux grandes questions des hommes. Plus de salut parce que plus de Dieu. Plus que cette liberté à conquérir pour briser tous les carcans, tous les moules, plus que cette ivresse dont elle sait obscurément la vanité et plus que ce doux désespoir qui rend ses personnages si tristes et si impuissants.

Elle écrit donc son roman d'une traite, la première phrase est la bonne, il n'y aura pas à la retoucher : « Sur ce sentiment inconnu dont l'ennui, la douceur m'obsèdent, j'hésite à apposer le nom, le beau nom grave de tristesse. » Le ton est donné. Introspectif et analytique, par lui, elle se range spontanément du côté de La Rochefoucauld, évitant le romanesque des histoires, à peine esquissées, portant toute son attention au mécanisme des passions, à leur illisible mystère.

Que les lignes inaugurales de son roman tentent de définir un sentiment aléatoire, obsédant, à la tonalité grave et douloureuse, pose bien sûr d'inévitables questions. L'étudiante peu concernée qu'elle est alors affirme d'emblée un état d'âme et d'esprit dans la pure tradition romantique. Le René de Chateaubriand ne disait rien d'autre que cette lassitude et cet étrange sentiment qui le déliaient du monde et l'en faisaient étranger. Quelque cent cinquante années après lui, la jeune héroïne de *Bonjour Tristesse* avoue que « quelque chose se replie sur [elle] comme une soie, énervante et douce, et [la] sépare des autres ». Le tempo du roman est donc donné. Françoise Quoirez situe ses personnages et son récit dans le droit fil du roman psychologique d'analyse, à mi-chemin entre la froideur analytique de madame de La Fayette et la complexité insaisissable du héros romantique. C'est qu'au-delà du roman et de son intrigue, la jeune romancière préfère élucider le tourment intérieur, obscur et secret, qui l'a toujours travaillée en sous-main, qu'elle cache soigneusement par son goût effréné de vivre, cette ivresse douloureuse, son amour des aubes frelatées au sortir des boîtes de nuit ou des étreintes de passage.

Quelle est donc la nature de ce sentiment qu'elle traque et veut déjouer, qu'elle provoque et fuit tout à la fois? De quel mal est-elle atteinte, de quelle absence? Comment faire durer «ce violent sentiment de bonheur» qu'elle éprouve quelquefois dans les bras d'hommes plus âgés qu'elle ou de jeunes séducteurs, comment échapper à la tyrannie du temps qui «retombe comme un coup»? Comment ne pas subir cette «tristesse», et l'indifférence peut-être à laquelle il faut bien se résoudre?

Au fond d'une banquette de bistrot, le sujet s'impose. Au reste l'argument est mince et banal, vaudevillesque même : une jeune fille de dix-sept ans, Cécile, est en vacances au bord de la Méditerranée, à Saint-Tropez, avec son père, Raymond, et la maîtresse de celui-ci, Elsa. Les jours passent, brûlants et paresseux entre les baignades, les dîners, les night-clubs et les flirts de Cécile avec un jeune homme de vingt ans, Cyril, auquel elle a cédé malgré son jeune âge. Surgit Anne, une amie de Raymond, qui s'installe dans la villa. Raymond entreprend de la séduire, évince Elsa. La tragédie commence, presque grecque, sous le soleil accablant et dans l'ennui des jours qui se ressemblent.

Cécile refuse obscurément cette liaison qui altère les rapports qu'elle a toujours eus avec son père, atténue leur complicité, change les règles du jeu libertin. Elle entreprend de séparer Anne de Raymond, se livre à des stratégies cyniques stupéfiantes pour son âge, dignes de la Merteuil, accule enfin Anne au départ ou au suicide. On retrouve sa voiture dans un ravin de la côte, «il eût été miraculeux qu'elle s'en tire». Naît la tristesse, pas le remords ni le regret, mais ce sentiment confus et indéfinissable que la vie reconquise ne dissipera jamais. L'amoureuse initiation ne peut échapper à la mort...

Elle finit par faire lire son roman à Jacqueline Audry qui est assez épatée par le rythme du récit, vif et presque policier, cinématographique en tout cas, qui ne se complaît dans aucune description, ne s'attarde à aucun lyrisme, mais avec une implacable justesse mène son train de roman d'analyse. Elle trouve vraiment sympathique et attachante cette petite jeune fille, à la silhouette frêle et presque garçonnière, toujours vêtue de chandails trop larges pour elle, gris et ternes, sans coquetterie, mais dotée d'un regard extrêmement mobile, narquois et malicieux et puis soudain, lointain et inconnu.

Jacqueline Audry pense naturellement à sa sœur, Colette, qui travaille au comité de rédaction de la revue des *Temps Modernes*. Idéale occasion pour lui passer le manuscrit de *Bonjour Tristesse*. Elle sait que le livre ne peut pas laisser indifférent son lecteur, que quelque chose d'inconnu et d'inaugural se déroule dans ce mince récit, une voix neuve et attachante qui l'emporte sur la maladresse de certains passages. Car enfin *Bonjour Tristesse* n'est pas, dit-elle, *La Recherche du temps perdu* ou *La Chartreuse de Parme*! Mais une alchimie a comme tout lavé, tout renouvelé : les situations vaudevillesques, les scènes libertines, une psychologie convenue. Et puis un lien très affectif attache désormais la cinéaste à la romancière en herbe. Elle lui trouve du charme, sa silhouette androgyne et son air blasé, ses manières de garçon fragile qui fume des Chesterfield, son léger bégaiement, son humour et ce visage déjà grave de qui a connu l'ennui et les défaites l'émeuvent. Elle attend avec impatience l'avis de sa sœur, certaine cependant de ne s'être pas trompée. Il vient sans trop tarder : Colette Audry est, sinon enthousiaste, du moins très impressionnée par les qualités strictement littéraires du roman, « son extrême élégance », dit-elle, et par la « lucidité » de l'auteur. Elle craint cependant d'être influencée par son âge et donc indulgente à cause de lui mais elle sait aussi que, parmi ses connaissances, René Julliard serait à même d'entendre la protégée de sa sœur et de pouvoir la lancer. C'est pourquoi elle lui conseillera d'envoyer son manuscrit chez l'éditeur de la revue à laquelle elle collabore, en lui précisant instamment de se recommander d'elle. Si Julliard n'en voulait pas, qu'elle tente sa chance chez Plon !

Françoise qui ne connaît alors rien du monde de l'édition, avec son caractère si déterminé et têtu, écoute les conseils et s'exécute. Elle mène sa situation dans la plus extrême discrétion. Ni ses parents ni ses frère et sœur ne sont au courant de son projet. Une force, une certitude la conduisent. Elle s'y rend avec une sorte de naïveté et d'innocence qui forcent tous les doutes, toutes les barrières.

Au Bar-Bac de la rue du Bac, Françoise a attendu Colette Audry sans impatience ni nervosité. Elle l'a attendue en fumant, quelque chose en elle la relie secrètement à ceux qui viennent ici prendre un café, des artistes, des amants, des écrivains, des photographes, tout le peuple de Saint-Germain-des-Prés qu'elle a déjà côtoyé et dont elle se sent proche par leur désinvolture, leur liberté, leur esprit. Il y a les jeunes «hussards», Guimard, Blondin qui viennent prendre un café ou un verre, et elle se sent des leurs.

En véritable éditeur, Colette Audry a fait quelques remarques judicieuses, le sujet du roman mérite d'être, lui dit-elle, plus tendu encore, il faudrait apporter à la tragédie telle que l'a conçue la romancière un dénouement plus violent. Plutôt que l'héroïne ne s'efface de la vie de son amant et de Cécile, il serait plus habile qu'elle meure au volant de sa voiture. À la romancière d'apporter un suspens supplémentaire en ne disant pas, par exemple, que l'accident est un suicide et en faisant ainsi planer le doute. Cette petite astuce romanesque donnerait au récit une épaisseur psychologique plus grande qui alourdirait un temps Cécile et rendrait son indifférence future plus complexe encore. Françoise Quoirez écoute avec attention ce que lui dit la professionnelle de l'édition. Elle accepte ses propositions, sans discussion, trouve au contraire que le récit gagnera en arrière-plans, en obscurités. Elle sait depuis longtemps déjà les vertiges profonds des psychologies humaines, tout ce que les êtres recèlent en eux de sombre et d'inintelligible, ce dont le temps qui les façonne les recouvre, d'oubli, d'indifférence, de trahisons, de faiblesse, de culpabilité et elle a pour eux une sorte de sympathie, de fraternelle complicité.

La rencontre avec Colette et Jacqueline Audry lui donne une confiance en elle que ses études littéraires en Sorbonne, même brièvement menées, ne lui ont jamais apportée. Ce qu'elle souhaite alors le plus au monde, publier, semble se réaliser. Elle promet de revoir sa copie, rentre chez elle et se remet au travail. Elle tape la nouvelle conclusion à la machine à écrire, maladroite, d'un seul doigt, le fait retaper par une dactylo et, comme d'habitude, fidèle à son caractère, dans une manière de bravade, va déposer en personne son roman chez Julliard et chez Plon.

Mais le défi se joue dans la légèreté. L'attente d'une réponse n'est pas vécue tragiquement ou dans l'angoisse. C'est toujours pour elle dans la facilité que se déroulent et se font les choses, dans «un grand confort», selon ses propres mots. Doute-t-elle un seul instant de son roman? Imagine-t-elle qu'il puisse être refusé? Depuis ces semaines d'août, dans la touffeur de Paris, depuis ces heures où elle écrivit presque d'une traite *Bonjour Tristesse*, dans une sorte de mélancolie d'amours et de défaites, dans le sentiment doux et triste de l'exil, de quelque chose d'inatteignable, comme une certitude s'est forgée. Au bout de ce qui n'avait pas même été un effort, il y aurait, sûrement la gloire, inévitable : «les gens seront contents de me parler parce qu'ils auront lu mes livres». Déjà, pendant la rédaction de son roman, elle avait déclaré à Florence Malraux que son livre serait un succès et qu'elle pourrait «se payer une Jaguar». Dieu n'est pour rien dans cette affaire et n'y peut rien, il y avait une histoire simplement qui se déroulait, qui allait à son terme et inaugurerait une existence nouvelle. Elle était sûre de cela, l'ennui, le temps qui passe, les saisons et les climats qui se succèdent, leur indifférence, les amours de passage, les études qui s'épuisent, et la vie qui va, et ce livre griffonné sur un cahier d'école qui changerait le cours de son existence.

Quand elle porte son manuscrit, le 6 janvier 1954 exactement, aux éditions Julliard, elle trahit à peine sa timidité et sa certitude. La secrétaire qui l'accueille, Marie-Louise Guibal, prend le texte, lui fait remplir une fiche de renseignements sur laquelle la jeune inconnue écrit studieusement son nom : Françoise Quoirez, son adresse : 167, boulevard Malesherbes, sa date de naissance : 21 juin 1935. La conversation ne va pas plus loin, quoique la jeune fille intrigue déjà quelque peu l'employée aux manuscrits. Sa jeunesse, accrue encore par cet air d'adolescent emprunté et maladroit, la surprend. Sitôt tourne-t-elle les talons pour repartir que Marie-Louise Guibal feuillette rapidement le texte. Bonne et fine lectrice, elle ouvre la chemise dans laquelle il est glissé et lit les premières lignes : «Sur ce sentiment inconnu dont l'ennui, la douceur m'obsèdent, j'hésite à apposer le nom, le beau nom grave de tristesse.» Un ton d'emblée s'impose qui insinue une mélancolie voilée en même temps qu'une gravité pleine de douleur, elle aussi à peine dite, effleurée, comme une petite sonate de Schubert ou de Schumann...

Tandis que la jeune femme lit l'ouverture en mineur de *Bonjour Tristesse*, son auteur poursuit méthodiquement son projet. Elle a dans son sac le double de son roman et va le porter dans la foulée aux éditions Plon. Les deux éditeurs sont alors dans le même quartier, de la rue de l'Université à la rue Garancière, il s'agit de traverser le quartier de Saint-Germain-des-Prés qu'elle connaît si bien. Les rues sont bruyantes et passagères, aux terrasses chauffées des brasseries des couples boivent, fument, regardent les passants. Elle a sûrement un cours à suivre mais ne s'y est pas rendue depuis longtemps déjà, tout entière à son histoire. On pourrait dire, son destin. En poussant le seuil de l'imposant immeuble des Presses de la Cité, elle n'éprouve aucune émotion particulière, son cœur ne bat pas davantage qu'un autre jour, elle trouve même les mots et les gestes assurés pour présenter son manuscrit à celle qui l'accueille, l'assistante du directeur littéraire de la maison, Charles Orengo, et qui s'appelle Michèle Broutta.

La rencontre est très rapide, de toute manière il n'y a désormais qu'à attendre. Croire en son étoile. Elle ressort, se retrouve dans la rue, retraverse Saint-Germain-des-Prés, s'arrête dans un café. Elle éprouve une sorte de liberté joyeuse. Comme un accomplissement.

Elle ne sait rien ni de Julliard ni de Plon, des arcanes de l'édition, de la personnalité des deux éditeurs, de leur influence dans le Paris des Lettres. Elle ignore tout de l'audace et de la rapidité de jugement de René Julliard qui rêve de rivaliser avec les deux grands, Gaston Gallimard et Bernard Grasset, qui font les prix et les succès et chez lesquels sont accueillis tous les écrivains qui comptent. Pas davantage d'Orengo, pourtant grand prêtre de l'édition, découvreur de talents, ni de cette guerre que se livrent les maisons d'édition en chasse des écrivains de demain. Sûre seulement des paroles de sa voyante : « Vous avez écrit un roman qui va faire parler de vous à travers les océans. » Ses mots claquent à ses oreilles. Les trottoirs de Paris sont lisses de froid, gris et luisants, elle aime cette beauté-là de la ville, cette solitude déjà perceptible en août, cet air nostalgique et perdu et cette gaieté quand même reconquise dans les cafés et les caves à écouter du jazz, ce plaisir toujours renouvelé, inconnu et jouissif de dilapider ses jours et ses nuits.

Le manuscrit suit cependant sa route secrète et obscure. Question de chance ou de destin, il est à présent à la merci d'un lecteur désinvolte, distrait ou psychologiquement en état de le recevoir. Le premier lecteur – car il y en aura plusieurs qui se targueront d'avoir été le découvreur de la jeune romancière –, sera selon toute vraisemblance François Le Grix. C'est un lecteur hors pair, professionnel de ce genre de lecture, rapide et efficace. Il connaît les exigences de la maison, le caractère impulsif et conquérant de René Julliard, les objectifs qu'il entend donner à ses éditions. Extrême privilège de lire dans l'état naissant un manuscrit inconnu, plaisir de la découverte, risque de passer à côté d'un chef-d'œuvre ou d'un succès commercial. Le Grix en sait quelque chose puisqu'il a refusé Marguerite Duras qui lui avait fait remettre par l'intermédiaire de son mari, Robert Antelme, son premier roman, *Les Impudents*, qu'elle avait repassé à l'ennemi, Plon. Le scénario va-t-il de nouveau se dérouler de la même manière? Le Grix est connu dans le monde de l'édition pour sa méticulosité en matière de syntaxe. Plus encore que le climat ou l'univers du roman, il est attentif à la beauté de la langue, à sa pureté, à sa richesse. C'est pourquoi il a repéré en son temps Julien Green et qu'il a refusé Christiane Rochefort.

Il ouvre donc le manuscrit sagement glissé dans une chemise de carton sur lequel Françoise Quoirez a décliné son identité et son adresse. On ne saura jamais les sentiments complexes qu'il éprouvera à la lecture de *Bonjour Tristesse*, le choc peut-être que le manuscrit lui aura provoqué. Mais le rapport de lecture qu'il rédige à l'attention de René Julliard et de son directeur littéraire, Pierre Javet, ne fait aucun doute sur l'impression générale qu'il en a : «La plume de Mlle Quoirez court sans défaillir, écrit-il. Cela nous empêche de remarquer les impropriétés nombreuses qu'il conviendra de faire disparaître d'un texte si heureux. Dès la première ligne, je m'arrête sur ceci : "À ce sentiment inconnu… J'hésite à opposer le beau nom de tristesse." Offense à l'euphonie mais aussi à la syntaxe… Le charme, l'ensorcellement assez particulier, fait à la fois de perversité et d'innocence, est fait aussi d'indulgence et d'amertume envers la vie, de douceur et de cruauté. Poème autant que roman peut-être en de certaines pages, mais sans rupture de ton, sans qu'aucune note sonne jamais faux. Et roman surtout, où la vie coule comme de source, dont la psychologie, pour osée qu'elle soit, demeure infaillible… Cette écriture est d'une forme si naturellement classique, qu'en bien des cas l'imparfait du subjonctif s'impose comme plus naturel que le présent, ce qui est rare… » Mais Le Grix s'attache aussi à des détails très professoraux, note que la narratrice voit apparaître «le soir venu un visage inconnu qu'elle salue de ces mots : *Bonjour Tristesse*. Ne vaudrait-il pas beaucoup mieux, suggère-t-il sans sourire, écrire *Bonsoir Tristesse* et d'ailleurs n'y gagnerait-il pas ? »

Quand le lecteur remet à Pierre Javet son rapport, celui-ci ne tient guère compte des quelques critiques formelles auxquelles Le Grix l'a déjà habitué. Il connaît ses manies et ses dadas : les répétitions, le sens exact au détriment de l'imaginaire de l'auteur, la concordance des temps, etc., mais il retient surtout, sous les bémols, le ton élogieux du rapport et l'enthousiasme à peine dissimulé. Il s'attaque aussitôt à la lecture du roman et convient avec Le Grix qu'ils tiennent peut-être là un succès. Dès lors l'histoire va très vite. Javet appelle Julliard qui, sitôt rentré d'un dîner d'affaires, trouve *Bonjour Tristesse* sur sa table de salon et se met à le lire. C'est la nuit du 16 au 17 janvier. Il y a encore à peine dix jours Françoise Quoirez amenait discrètement, presque à la légère, son manuscrit bien serré sous son bras. Julliard, installé dans sa bibliothèque, lit passionnément le mince manuscrit. «J'étais déjà si sûr de le publier qu'un crayon à la main je soulignai quelques détails, quelques bavures… » Le flair de Julliard est instantané, absolument sûr comme lorsqu'il publiera, sans hésiter, Minou Drouet, Françoise Mallet-Joris… Il sait qu'il y a là un livre qui peut faire changer le cours de son histoire, le mettre en situation d'égalité avec Gallimard, provoquer sa fortune. Le jeune âge de l'écrivain renforce sa décision. Le Grix avait raison, c'est dans ce mélange, cette alchimie même, «d'innocence et de perversité» que le roman puise son charme indéfinissable et neuf. Il est convaincu qu'une nouvelle Colette est née.

Colette qui se meurt dans son appartement du Palais-Royal.

Mais c'est un autre visage d'ingénue qui naît, une

autre figure de libertine. La sensualité épaisse et avide de Colette n'apparaît pas, du moins en surface, chez Françoise Quoirez. Le paysage et le désir goûteux qui révèlent Colette dans *Sido* ou *Le Fanal Bleu* sont ignorés en tant qu'objets romanesques. Et pourtant la jeune romancière porte en elle toute cette passion de Colette, cette vision lourde et intérieure du paysage de Cajarc, des ivresses à cheval. Dans les soirées interminables où s'étiole le désir et s'appesantit l'ennui, c'est la solitude heureuse des causses qu'elle appelle de toutes ses forces, les paysages sauvages du Lot. Mais c'est comme une castration, quelque chose qui l'empêche de s'épancher, de se livrer, une pudeur qui la résout à écrire dans une langue froide, presque scolaire. Pour l'heure, Julliard, Javet, Le Grix, ses seuls lecteurs, exaltent déjà la fameuse « petite musique » de leur découverte. Le charme secret, qui se faufile entre les phrases, sèches comme la pierraille des campagnes de son enfance, est rapidement balayé par son auteur lui-même : « C'est tout simplement, constate-t-elle, une espèce de pudeur, la saine pudeur de la jeunesse, quoi. Tout ce qui était sentimental et passionnel me paraissait tout à coup comique, ridicule. » Colette couve sous Françoise Quoirez, « les règles de la dissertation française qui ont trop influencé ma vie », avoue-t-elle, oblitèrent la violence qu'elle porte en elle et qu'un excès de bonne éducation bourgeoise peut-être a sans cesse refoulée.

Colette donc achève sa vie percluse de douleurs, cassée en deux, mais ce goût de l'herbe neuve aux lèvres, le regard encore gourmand, la main qui cherche le stylo à encre pour se souvenir du poids des treilles et de la douceur de soie de ses chats.

Au petit matin, René Julliard tente d'appeler au téléphone la jeune inconnue qui l'a empêché de dormir. Mais à Carnot 59-81, personne ne répond, comme si le téléphone avait été décroché. Il télégraphie et lui demande de venir la voir aux éditions à 11 heures précises. Très agité, il craint qu'un concurrent ne se soit aussi emballé pour le manuscrit et qu'une proposition lui ait été déjà faite. À l'heure dite, personne ne se présente dans les locaux de Julliard. Il fait appeler Françoise Quoirez par sa secrétaire. La domestique ramenée de Cajarc, Julia Lafon, décroche, déclare que Françoise dort, qu'elle a besoin de se reposer, et qu'il est impossible de la déranger, «en début d'après-midi, quand elle se réveillera, elle pourra rappeler». Ce que fait Françoise qui accepte un rendez-vous en fin d'après-midi. Julliard l'invite à venir jusqu'à son domicile, également rue de l'Université. Elle s'y prépare sans angoisse, mais secrètement inquiète tout de même de l'issue de sa rencontre. Elle a l'habitude de garder la tête froide, d'encourager une sorte d'indifférence naturelle au cours des choses et du monde, d'ainsi dominer peut-être le temps. Elle demande à Véronique Campion de l'accompagner au moins jusqu'à l'immeuble. Toutes les deux montent dans la Buick noire de M. Quoirez. Elle a bu un peu trop d'alcool, et au volant de la voiture de sport, elle sait intuitivement qu'elle a déjà conquis quelque chose, une certaine forme de pouvoir, une autre forme de l'ivresse. C'est entre timidité et scepticisme, entre désir violent et fatalisme que se fera désormais l'écriture.

Elle traverse Paris, la Seine, rejoint la rive gauche, emprunte la rue des Saints-Pères, se gare et sonne au 14 de la rue de l'Université. Une confiance inouïe, presque naïve la contient tout entière, l'empêche de rebrousser chemin, de tout abandonner. C'est comme une force plutôt qui la pousse à entrer. À en finir déjà pour passer à autre chose. Elle se fait annoncer au majordome qui ouvre la lourde porte. Une certaine jubilation amusée égaye alors ses yeux. « La reine, dit-elle, n'était pas ma cousine. »

Dans l'appartement cossu et meublé de façon un peu rigide et bourgeoise, où cependant tout le Paris de la politique, de la finance et des arts a coutume de se rendre aux réceptions organisées par le maître de maison et sa seconde épouse, Gisèle d'Assailly, Françoise Quoirez s'avance avec cette manière toujours un peu gauche et timide, mais en même temps sûre d'elle. Le regard n'ose pas fixer l'interlocuteur et se dérobe à le croiser. René Julliard, qui l'attend dans sa vaste bibliothèque, est d'emblée conquis, séduit et amusé par cette jeune fille dont il vient de lire le premier roman et qui recèle tant de perverse candeur, de maturité et d'innocence. Elle, toutefois, ne se laisse pas démonter. Elle répond du tac au tac aux multiples questions que lui pose Julliard. Sa maîtrise de la langue malgré son débit mal assuré, ses bégaiements et ses fins de phrase inintelligibles, son humour et cette évidence qu'elle met dans ses réponses, impressionnent et amusent l'éditeur si volontiers paternaliste et dirigiste. Il y a quelque chose du père dans son attitude, sa façon de prendre la situation, d'aborder la jeune romancière. De sorte qu'au bout de plusieurs heures de conversations au cours de laquelle Julliard voulut tout savoir sur celle qu'il avait déjà décidé à tout prix de publier, Françoise Quoirez n'était plus du tout intimidée ni sur sa réserve. La décoration de l'appartement, son certain conformisme, son classicisme la rassuraient parce qu'ils lui faisaient penser aux intérieurs bien policés des appartements de ses parents et de ceux de ses amis. C'était comme si elle-même avait connu Julliard depuis longtemps, qu'il était devenu en quelques heures un familier, un ami de la famille.

Ce qui surprend René Julliard à l'issue de leur conversation, c'est le naturel de son interlocutrice, cette forme de liberté qui peu à peu s'est affirmée alors qu'au début un certain trac semblait l'effaroucher, renforcer sa timidité qui n'est en fait qu'apparence. Julliard a-t-il la certitude de tenir avec elle une de ces jeunes émules de la génération des hussards décrite par Bernard Frank dans *Les Temps Modernes* deux ans auparavant? La jeune romancière serait-elle à l'instar des Laurent, des Nimier, des Blondin, de ces écrivains qui, comme disait Bernard Frank, parodiant les hussards dans son fameux article de 1952, écrivent de

« petits livres qui n'ont l'air de rien, sont faits de rien, sont des riens peut-être, mais dans ces riens, il y a plus de sagesse vraie, plus d'esprit que dans tous les gros bouquins dont on nous casse un peu trop les oreilles de nos jours » ? La frivolité apparente de son roman cache, l'éditeur n'en doute pas, « une âme d'écorché ». Julliard l'interroge longtemps dans le salon cosy de la rue de l'Université. Il voudrait savoir si *Bonjour Tristesse* est un roman autobiographique qui a su habilement masquer la juvénilité perverse de son auteur, quels sont les rapports qu'entretiennent M. Quoirez et sa fille, comme s'il pressentait déjà le scandale à venir. Mais rien n'y fait. Françoise répond avec une franchise déroutante et presque banale. Elle assumera toujours d'ailleurs cette défense : c'est un livre, dira-t-elle, « qu'on peut lire sans ennui et sans déchéance ». À Julliard elle réplique que le livre a été écrit sans arrière-pensée, sans stratégie de scandale. Non, Raymond n'est pas son père, non, elle n'est pas Cécile même si elle a beaucoup emprunté à elle-même pour l'inventer. Tout en somme est imagination, écrit dans une sorte de jeunesse qui lui a sans doute échappé, « une habileté inconsciente que donnent la fin de l'enfance et les premières brûlures de l'adolescence ». Ce pourrait être autre chose que la romancière n'a pas décrété, quelque chose qui serait parti vers d'autres destinations, d'autres désignations, mais qui s'est trouvé être ainsi, emprunté aux mots qu'elle entendait autour d'elle, aux situations qu'elle pouvait côtoyer. Cette écriture instinctive, qui ne négligeait pas, comme elle l'écrivit, d'être «rouée» à certains moments, la rendait étrangère et familière tout à la fois. Julliard d'emblée la considère comme un de ces enfants terribles à la Cocteau, un Radiguet qui n'aurait pas encore tout à fait grandi, une petite fille innocente et farouche. C'est tout ce mélange qu'il faudra exploiter, pense-t-il en éditeur conquérant : la jeune fille bourgeoise des beaux quartiers, élevée aux Oiseaux, et qui cède aux attraits de la sensualité. «Un charmant petit monstre», selon les mots de François Mauriac...

De son côté Françoise, qui n'est plus pour très longtemps encore Quoirez car le problème du patronyme va très vite se poser, accueille l'enthousiasme non dissimulé de son futur éditeur avec une maîtrise impressionnante. Pas d'exaltation particulière ni de remerciements excessifs. Elle a toujours considéré son histoire comme fatale. Ce n'est pas au demeurant la certitude d'avoir du talent ou celle de sa vocation, mais comme si elle suivait une voie inévitable. C'est pourquoi plus que de l'euphorie, c'est avec une certaine gaieté qu'elle entend enfin qu'il la publie. Secrètement, elle pense peut-être à la Jaguar qu'elle a toujours rêvé de s'offrir, à une certaine facilité qui lui donnerait d'être indépendante, nomade et joyeuse, libre et légère pour traverser le cours lent et tragique du temps qui passe et dont elle a pressenti déjà l'absurde néant.

Elle ne sait rien des fameux à-valoirs que peut offrir

un éditeur, c'est-à-dire des avances sur recettes qu'il consent à octroyer. René Julliard lui demande ce qu'elle souhaite avoir : l'argent scellera leur engagement mutuel. Toute cette petite comédie de mœurs amuse beaucoup Françoise qui traite en adulte désinvolte sa nouvelle situation. Elle lui réclame une somme qu'elle juge suffisante pour s'offrir quelques cadeaux, satisfaire ses désirs immédiats, pour l'heure pas si extravagants que cela, de quoi nourrir peut-être sa tribu d'amis, une virée en Normandie, en région parisienne, à Saint-Tropez. Julliard double la somme demandée. En échange, le contrat est strict. Elle devra écrire cinq autres romans, au regard de quoi son éditeur s'engagera à la «lancer». Elle en accepte tous les termes, et même cette idée dont elle ne mesure pas encore toute la portée : être jetée en pâture à son public, à la critique, à tout ce monde dont elle ne connaît en fait aucun des rouages, d'être «complètement coupée des autres», comme elle le dira des années plus tard.

De son côté Julliard, fin limier, sait qu'il a découvert un véritable objet de désir pour ses lecteurs. L'ingénuité perverse de sa trouvaille et la qualité classique de son roman, la maîtrise et la justesse du ton forment un ensemble nouveau, créent la modernité. Plus encore que sur *Bonjour Tristesse*, c'est sur le personnage qu'il va miser. Il est séduit par sa fragilité et sa force, sa féminité à peine esquissée et cet aspect d'éphèbe, ce cran qui se dégage d'elle, et cette parfaite innocence de mœurs qui la fait cynique, cruelle et tendre tout à la fois. Elle saura répondre, à coup sûr,

aux journalistes, et passé le premier moment de timidité, déjouer leurs pièges, retourner leurs questions
d'une pirouette, jouer la savante et l'insolente, baisser
les yeux et paraître rouée. Il a su déceler très vite,
durant le petit interrogatoire auquel il l'a soumise,
son narcissisme et cette soif de reconnaissance qui est
cachée sous sa timidité apparente. Tous ces paradoxes
fondent l'esprit de cette seconde partie du siècle, elle
est comme l'incarnation d'une génération dont elle
cristallise les désirs, les plaisirs et les angoisses.
Comme il y eut Juliette Gréco et Boris Vian juste
après la guerre, il y a à présent leurs enfants spirituels,
les héritiers de Sartre et de Beauvoir, et cette toute
jeune fille portera sûrement leur histoire.

Julliard prévoit un tirage assez important pour un
premier roman, signe qu'il y croit vraiment. Aux trois
mille exemplaires traditionnels, il compte ajouter
deux mille autres. Il fera entourer le livre d'une bande
rouge où le visage légèrement cocasse et craintif de la
romancière sera représenté. Il y inscrira une accroche
publicitaire explicite : *« Le Diable au cœur »*… La référence à un autre « enfant terrible » de la littérature
signe la campagne commerciale sur laquelle il compte
s'appuyer. *Bonjour Tristesse* est déjà reconnu dans la
maison comme un roman du scandale et de la provocation, un roman qui transgresse les lois morales
d'une société bourgeoise et chrétienne.

Françoise Quoirez se sent étrangère à tout ce
branle-bas de combat qui agite les locaux de la maison Julliard. Pour l'heure elle est heureuse d'avoir en

poche une somme d'argent inespérée qu'elle va s'employer à dilapider, fondant sans attendre davantage sa théorie sur l'argent qui ne sert, dit-elle, qu'à être dépensé, sous peine de devenir riche, c'est-à-dire forcément économe, avare et thésauriseur. Elle retient peut-être alors la leçon du clochard de la Seine, qui lui avait raconté sa vie. Un jour «il s'était rendu compte que sa vie passait, qu'il n'avait pas le temps de la voir passer. Qu'il était pris dans un engrenage, qu'il n'avait rien compris à rien, et que dans vingt ans peut-être, il serait mort, sans avoir rien fait d'autre que de conserver un certain standing».

Il n'y aurait jamais pour elle aussi de standing, jamais de luxe établi, mais passager, distribué, aléatoire et forcément fugitif, précaire et d'autant plus jouissif qu'il serait vécu dans la fantaisie, quelque chose qui s'enfuirait comme l'eau de la Seine qu'elle aimait contempler dans ses fugues scolaires ou comme les sons rauques et fluides à la fois des clarinettistes de Saint-Germain. L'argent servirait à cela, à jouir de l'ivresse du temps et des choses, à rencontrer des êtres beaux et intelligents et à supporter la trahison fatale du temps.

Le Flore, où elle rejoint Véronique Campion, se pare soudain d'autres prestiges, à présent c'est elle qui est écrivain, qui va publier un livre, en elle une impression de défi et d'incrédulité mêlés, cette fierté surtout d'être des leurs, les écrivains, pour lesquels elle a éprouvé si tôt de la compassion et de l'admiration,

100

parce qu'elle savait qu'ils atteignaient à ce fameux «supplément d'âme» dont on lui avait rebattu les oreilles en classe de philosophie, et que la littérature «était tout en soi... Tout : la plus, la pire, la fatale, et il n'y avait rien d'autre à faire, une fois qu'on le savait, rien d'autre que de se colleter avec elle et avec les mots, ses esclaves et nos maîtres». Sur les banquettes de moleskine du Café de Flore, elle mesure l'enjeu que représente le chèque que lui a remis René Julliard et grâce auquel elle boit à présent complaisamment pour fêter son succès : à quelque hauteur que son travail se trouve, «il fallait désormais courir avec elle [la littérature], se hisser vers elle».

Cette conscience secrète de la fatalité qu'elle a toujours eue lui fait néanmoins garder raison. Quand elle rejoint l'appartement familial du boulevard Malesherbes, remontant les boulevards dans la Buick paternelle, elle jubile de la bonne plaisanterie qu'elle va faire à ses parents. Bien qu'ils soient à mille lieues de se douter de tout, du roman comme de la publication, elle sait encore qu'ils ne feront pas obstacle à cette chance inattendue. Elle leur annonce enfin la nouvelle au dîner. Pierre Quoirez est secrètement fier de sa fille, sa mère s'inquiète du sujet même du roman, mais tous les deux acceptent de signer le contrat qu'elle n'est pas encore en âge de signer elle-même. Il convient maintenant de trouver un pseudonyme car le nom de Quoirez n'est pas très «romanesque», son père en convient, et parce que le couple ne souhaite pas associer son nom à une entreprise qui s'avère encore trop aléatoire. Il faudrait donc un nom que l'on retienne mais qui porte en lui des traces de cette littérature à laquelle elle a été formée, Proust, Gide, Camus, Sartre, Baudelaire, Rimbaud, quelque nom qui appelle de l'imaginaire et sache entraîner le lecteur dans le grand vent de la littérature.

Aux éditions Julliard tout le monde est certain du succès de *Bonjour Tristesse*. La personnalité de la jeune romancière est très attachante et même émouvante. Tant de fragilité dans le corps et tant de sûreté psychologique dans l'analyse des sentiments amoureux et adultes laissent ceux qui l'ont lue éblouis et intrigués. Elle, ne réalise pas tout à fait la situation. L'enjeu même du scandale. Qu'une jeune fille de son âge couche avec un jeune homme sans être amoureuse et que son propre père en soit le témoin sans en être indigné ne lui paraît pas choquant. D'ailleurs, elle confessera plus tard qu'elle se trouvait au moins dans un de ces deux cas de figure : « J'avais vu la mer. Et j'avais flirté avec pas mal de garçons, mais je ne me rappelle plus… Si. Oui, j'avais… » Tout s'était passé comme si elle avait touché du doigt le point de tension et de conflit de deux générations et qu'elle s'était fait sans le vouloir le témoin de « l'inacceptable ».

Il lui fallait pour l'affronter un nom qui ait la grâce désinvolte des courtisanes et des dandys bohêmes, qui ait dans leur sillage des brumes de nostalgie et le goût du défi et de la paresse, et l'élégance désœuvrée des héros proustiens. Proust, dont elle a « tout appris »,

102

comme elle le proclame depuis toujours avec une émouvante obstination. Et d'abord que toute œuvre, dès lors qu'elle traite de l'être humain, est illimitée et « qu'écrire n'était pas un vain mot ».

Proust donc, et ses centaines de portraits, sa galerie de maudits et de nantis, de snobs et de débauchés, d'impuissants et de conquérants, d'artistes et d'exilés et parmi la cohorte de fantoches et de désespérés, le prince et la princesse de Sagan...

C'est en feuilletant *À la recherche du temps perdu* qu'elle emprunte le nom de Sagan. Aucune ressemblance pourtant entre elle et la demi-mondaine qui arpente la jetée de Trouville et qu'aurait pu peindre Eugène Boudin ou Constantin Guys. Peut-être la nonchalance et l'indifférence envers le monde et ses plaisirs, et cet ennui que traîne drapée dans ses châles de mousseline la princesse, où qu'elle aille, faubourg Saint-Germain ou la côte normande.

Sagan plutôt pour la grâce mélancolique qui s'échappe du mot, pour la lenteur de sa dernière syllabe, et pour conserver, quoi qu'il arrive dans sa future carrière d'écrivain, un lien avec l'écrivain qu'elle admire le plus. Elle a, malgré sa jeunesse, cette certitude adulte qu'elle ne pourra jamais y « arriver », comme elle l'avoue, cette fatigue presque romantique qui la rend si singulière aux autres et qui lui donne la lucidité de Proust. Et elle ne peut ignorer que pour traquer le « seul gibier » qui l'intéresse, l'homme, elle a besoin d'un lien, d'une filiation, d'une reconnaissance.

Sagan donc pour se rappeler Proust, et se souvenir de sa leçon. Car sous l'apparente désinvolture de ses personnages, sous leur masque aristocratique et galant, que d'abîmes et de vertiges! La princesse de Sagan a beau avoir ce grand air des cours du Second Empire, elle pourrait avoir posé pour Winterhalter auprès des dames de compagnie de l'impératrice, mais par quels mensonges, quels illusoires divertissements parvient-elle encore à paraître? Elle serait une autre Sagan, livrée aux mêmes mensonges, à la même insondable nature humaine, et les personnages qui naîtraient sous sa plume seraient atteints de la même complexité, des mêmes dérisoires désirs, des mêmes ambiguïtés.

Pour toujours, succès ou pas, elle serait désormais Françoise Sagan.

La facilité avec laquelle elle a écrit *Bonjour Tristesse* n'est qu'apparente. Peut-être par dérision ou par bravade devant l'absurde condition des hommes, elle-même a encouragé cette impression de légèreté et de bluff, de grosse farce qui tourne au conte de fées. Quand Florence Malraux apprend la nouvelle, elle pouffe de rire avec son amie, comme si elles avaient toutes deux fait une bonne blague aux bourgeois, à l'establishment, à la culture. Et cependant la vocation de Françoise Sagan remonte à sa plus jeune enfance, à ce désir provocant et obscurément tenace qui l'a talonnée : «Je n'avais qu'une idée, dit-elle, est-ce que j'arriverai à écrire, oui ou non? Oui ou non? Oui ou non?»

Le roman, les personnages, les histoires dans lesquelles elle les place sont en fait subalternes. Elle a, dès le premier roman, compris que «sa valeur intrinsèque n'avait aucun rapport avec sa carrière». Tant d'éloges à venir ne seront pas mérités. Mais la seule chose qui compte, c'est de découvrir le mécanisme secret des êtres, leur comportement illisible, leurs débordements et leurs enfouissements. C'est pourquoi elle a toujours aimé la poésie. Elle aurait voulu être poète, comme si elle avait pressenti d'emblée que seule la poésie atteint à ces vertiges qui la fascinent, à ces situations complexes qui font croire Cécile, son héroïne, perverse ou blasée, cynique et ingénue alors qu'elle est d'abord inconnue, étrangère à elle-même. Poète pour trancher dans l'épaisseur des âmes, et en saisir le cri et la plainte.

Paris à la mi-janvier a les couleurs grises et luisantes qu'affectionne Robert Doisneau. Les lustres des brasseries de Saint-Germain-des-Prés s'éclairent très tôt dans l'après-midi, jettent des lueurs jaunes sur les banquettes de cuir, font briller les verres de whisky, permettent de mieux suivre les volutes de fumée des cigarettes. Elle sait que commence une autre vie. Il y aurait en apparence cette folie de vivre, ce goût immodéré pour l'alcool et le chant rauque et rond à la fois du saxo qui irait se perdre dans la nuit, et les descentes avec des bandes de garçons bronzés comme des dieux de la Méditerranée, dont elle serait l'égérie, mais surtout, rivée en elle, il n'y aurait que «cette superbe folie d'écrire» qu'aucun autre plaisir, aucune autre passion ne pourraient désormais combler.

La décision de René Julliard de publier au plus tôt *Bonjour Tristesse* double de vitesse les éditions Plon qui, sans tergiverser toutefois, se sont donné le temps de la réflexion. Charles Orengo, et son lecteur, Michel Déon, tombent d'accord pour convenir qu'une romancière existe, qu'ils lisent là un vrai roman, original et de surcroît suffisamment licencieux pour être un vrai succès commercial. Mais trois semaines passent pendant lesquelles l'écurie Julliard a déjà entrepris la jeune prodige. Elle reçoit néanmoins un message téléphonique d'Orengo qui lui propose de la publier à condition de revoir des «pages entières», ce que Françoise Quoirez, grisée sûrement par l'emballement de Julliard, refuse. Le destin du livre est donc signé. Elle accepte les suggestions de corrections que lui soumet Maurice Hugot, le correcteur professionnel de Julliard. Les répétitions, les lourdeurs de style et quelques fadeurs de jeunesse sont effacées. Il en restera d'autres que la relecture, des années après, révèlera et que les critiques acérées de certains ne manqueront pas de relever : chronologie mal respectée, incohérences («dans les graviers de la terrasse, les cigales chantaient»), syntaxe approximative, etc.

Elle apprécie le caractère paternaliste de Hugot. Sa bonhomie et sa faconde l'enchantent et de lui, elle tolère tout le travail de coupes, de maître d'école que

Déon et Orengo lui avaient laissé entendre mais de manière plus autoritaire et professorale. La sortie du livre, prévue pour le 15 mars 1954, est très proche. Il est fabriqué en quelques semaines, et contrairement à ce que son futur succès pourrait faire croire, de façon assez discrète. René Julliard sait qu'il peut atteindre plusieurs dizaines de milliers d'exemplaires mais il est très prudent et ne veut pas prêter le flanc à une attaque en règle de la critique.

D'ici là, Françoise Quoirez, désormais Françoise Sagan, savoure sa revanche sur sa mère qui l'accabla à ses yeux trop souvent de reproches à propos de sa paresse et de son insouciance, et sur son frère qui ironisait sur ses échecs en faculté. Mais sa revanche est affectueuse, elle a un sens de l'humour et de l'ironie qui égaie de lueurs vives son regard généralement grave et mélancolique. A-t-elle dépeint à son propre insu sa mère sous les traits trop rigides et responsables d'Anne qu'elle envoie, d'un revers de plume, au fond d'un ravin de la Côte d'Azur? La narratrice puise chez l'auteur des traits psychologiques, des repères qui étoffent son héroïne, l'incarnent. Cécile, quoi qu'elle veuille s'en défendre, est à beaucoup d'égards celle qui écrit. «Moi, si naturellement faite pour le bonheur, l'amabilité, l'insouciance… », écrit-elle. Elle est celle qui, comme Cécile, revendique «la liberté de refuser les moules».

Mais le refus n'est pas révolte ni provocation, plutôt le goût presque désespéré du désordre, des «criques dorées, du balancement doux du bateau», des baisers.

Tout est dit d'elle dans quelques phrases de *Bonjour Tristesse*. Sagan appelle de toutes ses forces, instinctivement, cette insouciance qui est pour elle «le seul sentiment qui puisse inspirer notre vie et ne pas disposer d'arguments pour se défendre».

Le début de l'année 1954 se passe dans une euphorie modérée et inquiète. Elle ignore le sort qui sera réservé à son livre mais l'enthousiasme des éditions Julliard, la sympathie que toute l'équipe lui manifeste lui laissent penser que le roman sera bien accueilli. Elle continue cette existence fondée sur le sentiment de l'insouciance dont elle fait une maxime de vie. Jeunes hommes, flâneries, fêtes, alcool, jazz. La panoplie inépuisable et toujours renouvelée de Saint-Germain-des-Prés lui permet d'attendre la mi-mars avec une relative patience.

La facilité avec laquelle elle a franchi en quelques mois les étapes quand tant d'autres désespèrent d'être un jour publiés, ne la surprend pas. Elle vit toujours ainsi, dans cette simplicité qu'elle ne s'explique pas même, presque incohérente, dans ce détachement qui ne lui fait rien espérer ni croire, mais grâce auquel elle atteint son but, sans l'effort de la conquête.

Bonjour Tristesse sort enfin, à l'office du 15 mars comme prévu. Un léger frémissement se fait immédiatement sentir dans les ventes qui oblige la directrice commerciale à prendre l'initiative en l'absence de René Julliard d'un nouveau tirage de trois mille exemplaires. Julliard la félicite et intuitivement comprend que le roman est parti pour un singulier destin. C'est d'abord la province qui est séduite : est-ce la bouille renfrognée et amusée de l'auteur qui plaît déjà ou bien l'accroche publicitaire qui fait explicitement référence à un ouvrage scandaleux en son temps, *Le Diable au corps* ? Toujours est-il que les réassorts de librairie sont nombreux au point que Julliard décide à son tour de réimprimer. Pour la troisième fois et au bout de trois semaines seulement, *Bonjour Tristesse* est retiré, à vingt-cinq mille exemplaires cette fois-ci. Il le sera juste avant les vacances à cinquante mille.

La presse pourtant en ce début de lancement n'est pas encore conquise. Elle traîne un peu du pied en attendant la position des grands critiques qui feront de toute façon locomotive.

Plon observe cependant avec dépit et regret l'inévitable succès qu'Orengo n'a pas saisi au vol. Michel Déon le racontera plus tard, en 1985, dans *Bagages pour Vancouver* : «Nul ne pouvait douter, dès la première page, que l'auteur avait une voix, chantonnait avec un précoce talent. Un jour peut-être, elle s'exprimerait plus gravement.» Persuadé des dons de Françoise Sagan, il lui propose une interview dans *Paris-Match*, «mais personne n'y prêta intérêt et le "scoop" fut perdu».

Julliard s'active cependant à obtenir pour sa protégée un prix littéraire. Le prix des Critiques dont le jury est prestigieux lui conviendrait bien : Émile Henriot de l'Académie française, Gabriel Marcel de l'Institut, Dominique Aury, Marcel Arland, Georges Bataille, Roger Caillois, Maurice Blanchot, Jean Blanzat, Henri Clouard, Jean Grenier, Robert Kanters, Robert Kemp, Thierry Maulnier, Maurice Nadeau, Jean Paulhan et Armand Hoog lisent *Bonjour Tristesse* et tous constatent la maturité du jeune écrivain et sa voix, prophétique d'une jeunesse désabusée et avide de sensualités retrouvées et déculpabilisées. La vénérable institution n'hésite pas à couronner Françoise Sagan à deux voix de majorité, retrouvant dans son roman quelque chose qui fait penser à Colette et à Radiguet, à Proust et à Morand, à Sarraute encore. Ce jour-là, comme le proclame Jacques Robert de *Paris-Parade*, une «fameuse bombe venait de péter dans la République des Lettres».

À la réception qui s'ensuit, l'héroïne arrive, toujours aussi décalée quand elle se trouve dans la représentation sociale, qu'elle soit à l'école, au lycée, en famille et même dans ces boîtes qu'elle fréquente assidûment et prétend aimer. Elle intrigue et fascine, surprend par ses réparties à l'emporte-pièce, ne se laisse jamais démonter et garde par-devers elle un ineffable air d'ennui, d'indifférence et d'intérêt mélangés. «Imaginez, raconte Jacques Robert, Daniel Gélin fille, un genre de petit moine qui vous file des regards en dessous, perçants et veloutés, tout à la fois à vous donner des envies de vous débiner, tellement ils sont perspicaces, ces regards!»

C'est Émile Henriot, titulaire dans *Le Monde* de la

chronique « La Vie littéraire », qui ouvre le bal. Son article du 26 mai traite de *Bonjour Tristesse* et de *L'Autre Roman* de Madame Simone. Le ton y est très nuancé, méfiant même à l'égard d'un prodige de dix-huit ans qui risque selon lui d'avoir « vidé son sac » dans son roman. De prestigieux aînés sont convoqués, comme pour étoffer le sujet, le justifier presque : Laclos, Radiguet toujours et Charlotte Brontë. Henriot cependant ne veut pas s'en laisser conter, on sent qu'il est plutôt sceptique et irrité par le « petit monde sans tenue » que Françoise Sagan met en scène et par son « amoralisme » souriant : Cécile, sa créature, est qualifiée de « petite tueuse philosophe » et il éprouve à son encontre du « dégoût ». L'article donc ne semblerait à première vue guère favorable mais Henriot a soin de moduler le propos, refuse d'associer l'écrivain à ses héros, tout en ne pouvant concevoir que son roman ne soit que pure imagination. C'est l'excès de l'héroïne et (pourquoi pas ?) de celle qui l'a créée qui suscite en lui le trouble : « Une telle indifférence au bien et au mal dans un âge si tendre… fait un peu froid dans le dos, même quand on en a vu et lu bien d'autres. »

Le nombre de colonnes qu'il accorde à *Bonjour Tristesse* au regard même du roman de Madame Simone, trois contre deux, prouve néanmoins qu'un événement a eu lieu, que quelque chose d'inattendu a surgi du ronron romanesque de la saison littéraire : l'héroïne, qualifiée de « monstre », a comme réveillé le public et la critique et de ce fait, Henriot remercie « la jeune fille certainement très pure à l'imagination inventive» qu'est Françoise Sagan.

Sagan, de son côté, vit la sortie de son roman avec un plaisir détaché, dans une joie tempérée, sans grande exaltation ni indifférence mais avec ce regard toujours ironique sur les surprises incroyables que la vie peut réserver, confiante en son étoile mais aussi sereine devant l'éventuel échec de son livre. Elle ne fait rien pour exciter les rumeurs ou suivre les voies scabreuses que la presse exploite sans vergogne. Elle raconte qu'elle est allée dans une librairie de Saint-Germain-des-Prés et qu'elle a demandé à une des vendeuses de lui proposer quelques bons titres de romans récents. *Bonjour Tristesse* ne lui est pas présenté, elle montre pourtant du doigt son livre qu'elle voit à plat sur un rayon, mais la vendeuse le lui déconseille prétextant que le livre est «dégoûtant». Françoise Sagan ne bronche pas, encaisse au contraire le coup, et achète le livre, d'un regard de défi…

Elle commence à ce moment-là à éprouver la solitude de l'écrivain : tout peut naître de malentendus, d'approximatives informations, de rumeurs insensées. Elle confirmera plus tard cette impression : «Le succès, raconte-t-elle, m'a complètement coupée des gens. C'était affreux. On parle de vous comme d'un objet. On dit de vous des choses fausses. On vous prête dans des journaux des propos aberrants qu'on n'a pas tenus […] Je trouvais tout ce remue-ménage autour de moi inconsidéré. J'avais des réflexes de dégoût tout le temps.»

Le succès de *Bonjour Tristesse* cependant se confirme

chaque jour davantage. Sagan observe le phénomène avec amusement et agacement tout à la fois. La pression dont elle est l'objet, le flot constant des journalistes auquel son attachée de presse l'astreint, les questions les plus inattendues auxquelles elle doit répondre finissent, dit-elle, par «l'excéder» : «Ils m'embêtent, poursuit-elle, ils me posent des questions sur le socialisme, la mort. Je vous assure, je suis exaspérée!»

Le succès toutefois prend un tour plus prestigieux quand François Mauriac lui consacre son éditorial du *Figaro*. «Le charmant petit monstre de dix-huit ans» exerce une réelle fascination sur l'académicien. Son christianisme mystique et son œuvre où affleurent la misère de «l'homme sans Dieu», ses remords, ses désirs et ses violences sauvages trouvent des échos dans ce qu'écrit «la terrible petite fille». Du coup Sagan acquiert une gravité, un vrai statut d'écrivain, le scandale enflé par la rumeur bourgeoise se métamorphose en énigme. Elle devient mystérieuse et emblématique d'une génération, et ses facultés d'analyse sont comparées aux plus grands moralistes du XVIIe siècle. On évoque Pascal, La Rochefoucauld, Saint-Simon pour son regard cruel et acéré, pour le «divertissement», mais aussi pour cet ennui qui rejoint le manque de Dieu et ne laisse place qu'à l'indifférence, au vide.

Elle essaie d'échapper à ce tapage. Elle ne ment pas tout à fait quand elle avoue à un journaliste de *Samedi-Soir* tout en se goinfrant de gâteaux au restaurant de l'Abbaye qu'elle ne «pense pas ressembler aux jeunes filles de 1954 [...] celles qui se permettent tout avec les garçons et celles qui ne se permettent rien. Je ne suis pas ainsi », rajoute-t-elle.

Qui est-elle donc ? En veine de confidence, elle avoue toujours au même journaliste qui l'entraîne danser dans une cave de Saint-Germain-des-Prés, tandis que Grappelli «joue divinement du violon» : «Voilà : ce que je veux dans la vie, c'est être protégée et surtout ne pas connaître de complications... Me marier avec un homme, si possible du type latin, qui m'aura causé l'impression d'écroulement. Et puis avoir des enfants. Un garçon et une fille, pas plus... »

L'aveu déconcertant éloigne soudain Sagan des vertiges mauriaciens sauf si l'on prête attention à cette notion «d'écroulement» qui revient alors sans cesse sur ses lèvres. L'écroulement, c'est ce qui la fait écrivain, la faille soudain qui la renvoie au mystère, révèle sa nuit. Mauriac aime ces aveux au point que trois ans plus tard il récidivera dans son *Bloc-Notes* du 13 septembre 1957, en se faisant l'avocat de Sagan face à un procureur imaginaire : «Les personnages de Françoise Sagan, écrit-il, ne croient pas qu'ils aient une âme. Elle est vivante en eux pourtant, liée à cette chair périssable, qui a déjà commencé à se corrompre, et moi, je l'entends crier. »

L'article de Mauriac entraîne tous les autres, les plus réticents s'y obligent, mais tous placent désormais le propos du livre ailleurs que dans le libertinage et le futile. La personnalité de Sagan y est pour quelque chose. Son «maintien indéterminé» comme le définit le critique Henry Muller dans *Carrefour*, sa timidité qui instaure une vraie présence, ses réponses déconcertantes sur l'amour et le sexe, les institutions et la morale, révèlent cette liberté de vivre qu'elle revendique et qui pose désormais question.

Celle que Jacques Robert décrivait comme «la Gigi de la prose», un «genre de petit moine... avec de grands yeux languides à la Audrey Hepburn» découvre avec émerveillement, c'est son mot, le jeu grisant du romancier : «*Deus ex machina* de toute une histoire. Songez à cela : il n'a qu'à pousser les pions sur l'échiquier.»

Dans l'euphorie du succès, elle apprend ce qu'est un écrivain : celui qui «agit sur les mots, exerce une influence par le jeu de sa propre intelligence» et par là même «détermine des destins par sa seule volonté intellectuelle».

La jeune fille que René Julliard a dénichée n'est donc pas seulement exceptionnellement douée. L'éditeur, qui a fait profession d'être toujours au «rendez-vous de la jeunesse» comme il le proclame dans les interviews, n'a pas seulement fait un bon coup éditorial. Lui qui a comme projet d'éditeur de ne «s'alimenter qu'à une seule source, vitale, vivante, vivifiante, l'écrivain à ses débuts», remarque que quelque chose lui échappe. Lui qui a décidé de «consacrer toutes ses forces au jeune auteur» dans le but avoué «d'accélérer son prestige et le rendement» de sa maison observe que sa «pouliche», selon le terme de Jacques Robert, a la tête sur les épaules malgré ses airs distraits ; les entretiens qu'elle accorde à la presse sont pertinents, acérés quelquefois, en tous les cas, révèlent une indépendance d'esprit qui pourra s'exercer même contre lui. Il ne se détourne pas cependant de son auteur, mais continue sa chasse, « son approvisionnement, comme il dit, en matière première », c'est-à-dire en auteurs « lucratifs »... Bientôt, il mettra la main sur une petite fille au talent aussi précoce que douteux, pour laquelle il s'entichera, elle s'appellera Minou Drouet...

Ce que René Julliard ne peut atteindre de son auteur, c'est cette mélancolie qu'elle porte au plus profond d'elle-même, elle ne sera jamais seulement un auteur à succès, une sorte de Delly moderne, une de ces romancières scandaleuses comme chaque génération en a eu, une Rachilde du XXᵉ siècle, parce qu'elle recèle au plus loin d'elle ce que Mauriac a pressenti « même dans le moins bon et même dans le pire de ce qu'elle écrit... la vue qu'elle prend du mal, la connaissance qu'elle en a, et qu'elle reconnaît, et dont elle témoigne ». Reconnaissance, vision, témoignage, tous les grands signes sont ici réunis pour faire d'elle un vrai écrivain qu'aucun éditeur ne pourrait jamais retenir ni vraiment comprendre.

Le succès phénoménal l'empêche de jouer à fond le jeu éditorial mais elle s'y prête avec une douceur et une obéissance presque détachées d'elle-même, elle sourit quand on le lui dit, répond poliment aux journalistes, s'enquiert de leur confort quand elle les reçoit chez elle, dans le grand appartement bourgeois de ses parents, s'assied poliment en serrant ses immuables jupes de Jociste, et murmure des choses «affreuses» qui ravissent et épouvantent ceux qui l'écoutent. Mais confusément, elle retient de ce succès la solitude qu'il lui apporte : «Je suis devenue une chose, une denrée : le phénomène Sagan, le mythe Sagan… et j'avais honte de moi-même. J'étais la prisonnière d'un personnage. Condamnée à vie aux mornes petites coucheries sans pittoresque de personnages imbibés d'alcool, balbutiant des locutions anglaises, lançant de grands aphorismes et tout aussi privés d'encéphale qu'un poulet de laboratoire.» La satire est terrible. Sagan balaie son roman d'un revers de main, trouve idiot que l'on consacre tant et tant de polémiques à cette broutille, cette pochade «pourtant bien ficelée» rajoute-t-elle, mais qui est si loin derrière «les gouffres immenses du souvenir» explorés par Proust. Alors elle décide «de courber le dos et d'attendre que ça se passe». La ressource, c'est Cécile son héroïne qui va la lui donner : comme elle, malgré la tristesse qui submerge, il faut bien «recommencer comme avant» la vie imprudente sous peine d'être définitivement broyée par le temps qui passe. Et comme elle n'a pas le courage ni la force tendue que requiert le suicide, encore moins le goût de la solitude, elle décide de sortir, de s'étourdir, de plaire et de séduire. Ceux qui la connaissent à cette époque et qui partagent son existence la savent fêtarde, impudente et narcissique, séductrice et imprévisible, cyclothymique dans ses comportements, gaie et mélancolique, fragile et forte, soudain lasse et aussitôt après suractive. Et ce visage qui ressemble à celui de Radiguet, avec, comme dira Mauriac encore dans son *Bloc-Notes* du 13 septembre 1957, «cette brume de mensonge et de pitié qui tremble» et flotte tout autour de lui.

Au fil des mois, Françoise Sagan fait l'apprentissage paradoxalement douloureux du succès. Elle ne peut plus faire un pas sans être reconnue; largement médiatisée par les grands journaux à scandales et par une presse littéraire qui se divise, elle est comme dépassée par l'événement, contrainte, dit-elle, à «se cacher». Près de trente années après *Bonjour Tristesse*, elle garde encore le souvenir atroce de ses premiers mois de célébrité : «Tous ces gens qui m'abordaient, me dévisageaient, voulaient me toucher, je les trouvais bien mal élevés : je finissais par voir dans le premier venu un ennemi possible, enfin un agresseur virtuel… Pendant un an ou deux, je me suis cachée partout.»

De toutes les grandes villes de France, Lyon, Angoulême, Bordeaux, Toulouse, on réclame le roman. Certains libraires se rendent jusqu'à Paris au dépôt même de Julliard pour se réassortir, craignant que son diffuseur ne leur fasse perdre des ventes. On la voit sur toutes les couvertures de magazines, sa mine d'enfant sage et apeurée plaît aux journaux «people», elle est la coqueluche de toute la France, et malgré les graves crises politiques que le pays traverse alors, elle est comme un recours, le symbole d'une jeunesse moderne qui fascine, séduit et fait peur à la fois. Elle-même s'en étonnera toujours, refusant d'être en quelque sorte le porte-parole d'une génération dans laquelle elle ne se reconnaît pas forcément, racontant dans un de ses livres que le roman ne méritait pas tant d'infamie ni de louange.

Elle marche toutefois sur la vague, trouvant sa nouvelle situation bien plus inattendue que de suivre un cours en Sorbonne, dans un amphithéâtre bondé. Elle se prête à tous les journalistes, répondant d'un sourire poli à leurs questions, les recevant bourgeoisement dans le salon familial, leur servant une boisson fraîche, serrant les jambes sur sa jupe sans couleur, assise au bord du fauteuil, un peu sur le qui-vive, lasse et amusée en même temps. De sa première interview, elle garde un souvenir plutôt comique car le journaliste est bègue et commence à lui dire : «Et qu'est-ce qui vous a poussée vers la litté-litté-littérature?». Entraînée par le rythme hésitant, son propre bégaiement se réveille : «Vraiment, je-je-je n'en sais pas l'o-l'o-l'origine… » Un fou rire la gagne intérieurement tandis que sa mère, occupée à essayer des chapeaux dans la pièce à côté, éclate de rire!

La «pécheresse» qui revendique le péché comme étant «la seule note de couleur qui subsiste dans le monde moderne», reprenant en cela le provocateur Oscar Wilde, effraie parce qu'elle prétend en même temps l'ignorer, incarner un de ces êtres innocents qui se refusent à la culpabilité, vivent leurs désirs comme leur corps le leur souffle, dans une sorte de candeur dont Saint-Tropez pourrait bien être le lieu d'ancrage, la moderne abbaye de Thélème. Elle lit à peine les articles qu'on écrit sur elle, se moque de ce qu'elle ne soit, comme le prétend et le craint alors Hervé Bazin, dans sa chronique de *L'Information*, le 22 mai 1954, qu'une «étoile filante» dans le ciel constellé d'écrivains de la littérature. Il lui suffit de danser en ballerines des be-bops déchaînés dans les bras de quelque garçon bronzé, vite séduit, vite oublié, pour saisir l'urgence de vivre, jouir de la brutale splendeur de l'aube sur la Ponche, à Saint-Tropez, de «tout ce qui vaut la peine de vivre. La littérature, les gens qu'on aime bien. Un accord physique évident entre soi et le monde extérieur». Le contraste naturel qu'elle instaure à propos de sa personne, cette ambiguïté constante qu'elle provoque vient de ce qu'elle est insaisissable. Elle aime par-dessus tout la vie physique, «la mer, le soleil, les voitures» et prétend ne s'intéresser à l'amour que pour y saisir la seule chose qui semble lui plaire vraiment, la solitude, et qui est toute la matière de l'écrivain qu'elle entend être. La solitude, comme «conscience, dit-elle, d'un soi immuable, assez perdu et incommunicable à la fois. Presque biologique».

On entre là au cœur de la vérité de Sagan et non plus de sa légende si hâtivement construite. Écrire pour sonder le vieux fonds pressenti, immuable, opaque et inaccessible qui renvoie parfois des sons rauques et doux dans la bouche de ses héros. Ce que l'on a appelé leur «petite musique». Au vrai, l'écho, la trace de leurs sanglots et de leur histoire secrète, enfouie très profondément. Inconsolable.

Mais les reproches pleuvent sur la jeune romancière. Le milieu qu'elle décrit, « non pas vulgaire, mais commun, artificiel », comme le déplore Michel Déon, contraste avec les héros épais d'humanité de Camus et de Sartre. L'existentialisme fait encore autorité et a laissé des traces tenaces dans les mentalités. Françoise Sagan ne correspond pas en apparence aux critères de l'écrivain engagé que revendique Sartre. Le père de Cécile a des préoccupations trop hédonistes quand la France panse à peine ses plaies et voit s'en rouvrir d'autres, liées au colonialisme surtout. L'amoralité dans laquelle baigne *Bonjour Tristesse* fait cependant toutes les conversations. Tous les milieux socio-politiques lisent le roman, en cachette ou de manière provocante. Françoise Sagan est comme grisée. Tantôt abasourdie par le succès, tantôt exaspérée, tantôt complaisante, elle charme toutefois Simone de Beauvoir qui la voit comme un elfe distrait, presque indifférente à la rumeur qui l'environne, sensible à ne pas « faire de grimaces ». C'est peut-être cet aspect qui expliquerait le mieux le phénomène Sagan : cette volonté d'aller jusqu'au bout de soi, sans fard et sans volonté de paraître. À la manière de ce que va incarner bientôt sur les écrans une certaine Brigitte Bardot, dansant jusqu'à la transe dans les caves de Saint-Tropez dans une sorte d'innocence sauvage.

Encensée, méprisée, injuriée, Sagan devient en quelques mois le symbole d'une jeunesse qui veut changer le monde, lasse des guerres et des intrigues politiques, avide de sens et du sens. Étrangère à ce vacarme, elle entend mener sa vie poétiquement. Elle s'offre avec la première avance sur droits d'auteur que lui consent René Julliard une Jaguar XK 140. Le bolide noir fonce dans la nuit. Elle quitte souvent Paris pour aller boire dans une guinguette de banlieue, en bord de Marne ou de Seine. Il s'agit, comme elle le dit, «de distancer le temps et de distancer l'espace». Mettre un monde entre elle et cette rumeur qui la suit où qu'elle aille, réinventer, repeupler ses nuits. Elle demande un jour à son père ce qu'il convient de faire avec tout cet argent qu'elle va bientôt recevoir et dont une infime partie lui suffirait. Pierre Quoirez lui répond aussi sec : «C'est très dangereux, tant d'argent, à ton âge. Claque-le.»

Elle attrape au vol le conseil de son père. L'argent, elle va donc le «claquer», puisqu'il n'a pas de sens dans la vraie histoire du monde, secrète et spirituelle. La dilapidation de son argent correspond au mépris qu'elle en a. C'est également une forme de détresse et de solitude. D'oubli aussi. Boire, conduire, dépenser jusqu'à l'excès, c'est encore une manière de jouer sa vie, de lui donner un sens romanesque, de ne pas être conforme, mais singulier, unique. C'est peut-être, plus obscurément, une façon d'apaiser la brûlure secrète des impossibles modèles, Proust, Faulkner, d'autant que des insinuations commencent à se propager de plus en plus précisément. *Bonjour Tristesse* ne peut être l'œuvre de cette jeune romancière aux allures si gauches car si cela était, elle serait perverse et diabolique et qui pourrait le croire, en voyant sa « tête de souris » ? Les soupçons pourtant se fraient un chemin : et si c'était son père par exemple qui l'avait écrit avec cette manière qu'il a, dit-on, si complaisante de mettre sa fille entre les mains des journalistes ou bien Annabel, l'amie de toutes les fêtes, et qu'on verrait davantage dans cet environnement oisif et amoral. Ou bien encore, comme le raconte Sagan elle-même, « un vieil auteur payé pour se taire » ? La rumeur qui se propage fait chaque jour plus vendre, personne ne s'en plaint même si Julliard observe avec attention l'ampleur de la diffamation. Sagan qui est dotée d'un bon capital d'humour sourit devant ce raz-de-marée journalistique qui défraie la chronique, ferait presque oublier l'ombre terroriste en Algérie. Mais en même temps, elle est comme saisie d'effroi. Embarquée dans une histoire qu'elle ne possède plus, qu'elle ne contrôle plus. Contrainte de « continuer » comme elle le raconte à Jean-Claude Lamy : « Je voulais être Proust ou Stendhal, mais je n'en étais pas capable. »

Nul mieux qu'elle n'a alors ce sentiment de l'impuissance et de sa propre vacuité. Il va falloir à présent accepter le défi, devoir écrire plus seulement pour le bonheur d'écrire mais aussi pour prouver, pour convaincre. Toutes les photographies qu'on aura faites d'elle réverbèreront cette lassitude d'être, cet accablement stérile, ce sourire las et à peine esquissé. Cette mélancolie exquise que vient quelquefois évincer cette violence recélée au fond d'elle-même et qu'elle épanche surtout au volant de sa voiture, la nuit, vers

Louveciennes ou Fontainebleau.

Elle reçoit un courrier énorme qu'une secrétaire devra dépouiller. Les lettres les plus insolites, les plus extravagantes lui parviennent, auxquelles elle attache un regard presque indifférent. On lui réclame surtout de l'argent, on la demande en mariage, on en appelle à sa compassion en essayant de lui extorquer des objets domestiques ou bien encore une voiture. Quelquefois par lassitude, par une culpabilité inexpliquée, elle accepte d'envoyer un chèque, de céder à cette forme de mendicité car ceux qui lui écrivent n'auront jamais cette chance qui lui arrive, celle d'être devenue multimillionnaire et célèbre en ayant seulement griffonné un petit cahier pendant quelques semaines en été. Elle mesure cette chance inouïe, s'en trouve presque coupable mais elle l'accepte parce que, dit-elle, c'est le seul moyen pour elle de vivre sa vie comme elle l'entend. «Furieusement» proclame-t-elle, «je n'aime pas la vie quand elle est boiteuse». Il n'y a chez elle aucune affectation quand elle affirme tranquillement qu'elle «a de la chance. Je pense que la chance est avec moi». Pour avoir la paix, et pour jouir pleinement de cette chance, elle décide d'entrer volontairement dans sa légende. Elle donnera donc l'image que les autres attendent d'elle, elle jouera la petite ingénue perverse et affichera ses paradoxes, vêtements stricts de jeune fille bourgeoise et vie dissipée. Elle conduira vite parce qu'elle adore ça, «n'y cherchez aucun défi à la mort», dit-elle, c'est seulement l'ivresse de la vitesse qu'elle désire, elle aura des amants et elle ne leur sera jamais fidèle et comme elle le dira en conclusion d'*Un certain sourire* : « Et alors ? Pas de quoi en faire des grimaces. »

Quand Henry Muller, critique littéraire à *Carrefour*, cite, dès le début de l'interview, cette phrase de François Mauriac, extraite d'un de ses romans : « C'est le temps du désordre et de la sainteté, le temps de la tristesse et de la joie, de la moquerie et de l'admiration, de l'avidité et du renoncement », elle se déclare d'accord sur tous les termes sauf sur le dernier. Ne jamais renoncer, dit-elle : fidélité secrète aux souffles de Cajarc, aux fugues à cheval dans les vallées du causse.

Michel Déon qui avait dès le début proposé en vain à *Match* de faire un article sur la jeune découverte de Julliard, est enfin chargé de l'interviewer pendant l'été. Françoise Sagan le passe comme d'habitude sur la côte Atlantique dans une villa que son père a louée. Michel Déon l'y rejoint et est immédiatement séduit par sa personnalité. Elle, dont le sillage est sulfureux, partage ses vacances entre ses parents et sa fidèle amie, Véronique Campion. On est loin des jeux érotiques et des liaisons dangereuses de *Bonjour Tristesse* ! Sagan a peut-être besoin de s'isoler, de faire le point devant cette célébrité si soudaine. Elle boit un peu, raconte Déon, conduit sa Jaguar, « danse le soir, écrit de courts poèmes ». Il est touché par l'intériorité de la jeune romancière, par sa pudeur presque maladive, et que sa diction incertaine trahit davantage encore. Mais il découvre en elle une « douceur amère » et surtout « une résignation » dans ses réponses sur l'amour, le couple, la fidélité, la vie qui contrastent avec son image de libertine et de jouisseuse. La pénétration de certaines de ses réflexions, la justesse trop adulte, la gravité de sa morale émeuvent l'écrivain-journaliste. Elle affirme toujours sa prédilection pour la littérature, la seule chose qui l'ait jamais passionnée depuis l'enfance et dont elle s'est repue et qui est le seul, l'unique moyen de pouvoir combler la solitude.

Ces soirs d'été-là, différents de l'été précédent passés dans la touffeur de Paris, elle va danser avec quelques amis, mais au fond d'elle-même, toujours si seule. Danser donc pour ne pas admettre cette solitude, « quand elle réfléchit la nuit [...] ce terrible chemin vers la mort ».

Elle passe de longues nuits au Bar Basque, « se brûle au soleil sur la plage ». Mais Déon fait apparaître la faille : cette romancière que la rumeur dit perverse « a peur la nuit dans son lit et le moindre craquement la fait bondir ». Elle attend cependant les ferias de Bayonne avec impatience pour assister aux corridas qui l'écœuraient encore l'an passé. « La petite fille toute simple », comme titre Michel Déon en ne signant pas l'article, n'en finit pas de manier les paradoxes.

En signe d'amitié, elle lui offre un de ces petits poèmes dont elle a le secret et que bientôt, son ami, le compositeur Michel Magne, mettra en musique :

126

« Ce cœur aphone et sourd
Comme un vieux roi sans sceptre
Lui pardonnera-t-il, me pardonnera-t-il,
Ou devra-t-il sans cesse
Pauvre âme, pauvre âne,
Qu'aucun bât ne blesse,
Rechercher sur les pierres, les lèvres et les berges,
Les doux-amers chardons de sa faiblesse ? »
Un de ces poèmes médiocres et enfantins où perce
doucement la plainte de la perte et de la défaite.

Chez Julliard, l'équipe travaille cependant à pro-
longer le succès de *Bonjour Tristesse*. Les éditeurs
étrangers commencent à s'intéresser au phénomène et
n'attendent pas la rentrée littéraire de septembre pour
acheter les droits du livre. Étrange fascination du
public pour un roman somme toute banal, hâtif,
bâclé et à « l'écriture, comme le constate Michel
Déon, souvent bien lâche », et dont Sagan elle-même
reconnaît au passage les habiletés et les « roublardi-
ses » !
L'Angleterre, les États-Unis, l'Italie, les premiers,
succombent au charme mystérieux de *Bonjour
Tristesse*. Les tirages d'emblée sont énormes comme si
aucun éditeur ne pouvait imaginer un échec. Ni la
guerre en Indochine ni les débuts du soulèvement
algérien ne semblent porter ombrage au sillage fulgu-
rant du roman. Qu'on l'achète pour de mauvaises raisons ou par pur plaisir de lire, le livre devient le best-

seller incontesté de l'année 1954. L'Allemagne, le Japon vont suivre, subissant eux aussi le phénomène. Elle continue à ne pas se l'expliquer, mais, docile, fait ce qu'on lui demande de faire : garder cette sincérité et cette timidité qui ont fait son succès, répondre aux journalistes avec douceur tout en disant des choses affreuses et immorales, sur l'amour libre, sur la fidélité, sur la vie bourgeoise, poser pour les photographes en prenant toujours la même pose : assise par terre sur la moquette du salon ou de sa chambre, devant elle sa petite machine à écrire, un doigt sur le clavier et un autre dans sa bouche. Elle est dépassée par l'événement, tout ce brouhaha autour d'elle lui paraît, dit-elle, «grotesque. Mais qu'y faire? Si je pouvais arrêter les frais, je le ferais, mais comment?» Alors elle continue, sentant confusément que pour rester libre, la solution la plus simple, selon les mots d'un des journalistes qui l'interroge, dans *L'Express*, «est de ressembler à ce que l'on attend de vous». Elle vivra toujours ainsi dans cette sorte de passivité qui la verra s'engager de façon presque molle sur tous les sujets, trouvant indécent le furieux activisme d'une Marguerite Duras, sûre que tout est désespérément vain et qu'il faudrait, comme pour la musique, «pouvoir écouter deux fois au moins sa vie» pour pouvoir enfin la comprendre.

À l'automne 1954, le succès de *Bonjour Tristesse* ne se dément pas. Mieux encore, son auteur est passé du cap de la jeune romancière anonyme à la star. Il fallut donc six mois pour que le monde entier découvre

Françoise Sagan et en fasse comme une sorte de symbole de la liberté des femmes et de l'affranchissement des mœurs. Un tout petit roman évoluant dans un milieu bourgeois écrit dans une grande négligence et dont le mystère résidait surtout dans sa manière de ressembler aux maximes d'un Chamfort...

La même année verra le triomphe de Simone de Beauvoir qui reçoit le prix Goncourt avec *Les Mandarins*. Deux conceptions de la littérature s'affrontent, l'une glissant sans complexe sur les conflits politiques et l'autre posant les principes d'une «littérature de gauche» sous peine d'être un «salaud». Les deux femmes toutefois se croisent, mais au bout de plusieurs rencontres, Beauvoir conclut qu'elle «ne trouvait rien à lui dire. Elle m'intimidait comme m'intimident les enfants, certains adolescents et tous les gens qui se servent autrement que moi du langage. Je suppose que de mon côté, je la mettais mal à l'aise».

Et pourtant la nouvelle génération, «la nouvelle vague» se reconnaît dans Françoise Sagan sous ses mots à peine effleurés, sous ses silences et ses paroles bafouillées, dans sa fureur de vivre et son mode de vie capricieux d'enfant gâtée. Et entend peut-être l'amer constat d'échec d'un «nouveau» monde.

Sagan prend secrètement conscience à ce moment de sa vie de la douleur de ce monde, de ses misères et de ses pauvretés. En Algérie les premiers attentats stupéfient les Français. Dans un village éloigné d'Alger,

129

une famille d'instituteurs est assassinée par des «rebel-les». L'automne 54 marque le début de la guerre d'Algérie. Bombes, meurtres, politique de la terreur et de la terre brûlée occupent les manchettes de tous les journaux. Sagan n'est pas reléguée comme un feu de paille dans l'oubli. Au contraire, *Bonjour Tristesse* continue de fasciner. Les échos parviennent de l'étranger qui traduit avec une rapidité étonnante. Mais plus que l'œuvre, c'est son auteur qui intrigue et dérange. En Italie, on l'appelle «il nuovo Laclos», en Scandinavie, on reprend le sobriquet de François Mauriac : «le petit monstre», le *New York Herald Tribune* s'entiche de Sagan et la réclame aux États-Unis. Jamais depuis Saint-Exupéry, les Américains n'avaient manifesté un tel engouement pour un écrivain français. Elle va répondre à leur invitation mais quelque chose au fond d'elle-même commence à mûrir que sa pudeur naturelle, son souci d'effacement ne lui permettent pas d'afficher au grand jour. Son style lapidaire et sa manière de percer tout à trac des comportements psychologiques qu'elle traite en moraliste, la rapprochent contre son gré des «Hussards». Elle s'en défend farouchement, craignant d'être associée à leur réputation d'écrivains et «d'esthètes de droite», comme dirait Simone de Beauvoir. Lentement, Sagan trouve sa place. Politiquement mais surtout moralement, elle sera du côté des pauvres et des humiliés, des exploités et des laissés-pour-compte. Qu'importe si elle le proclame en conduisant une Jaguar !

La voiture justement est pour elle le symbole même de l'ivresse et de la liberté. Elle prend sa Jaguar, à n'importe quelle heure mais préfère la nuit, sort de Paris par les boulevards des Maréchaux, et fonce vers la campagne. Même sentiment d'exultation et d'énergie retrouvée que lorsqu'elle partait autrefois à cheval dans les causses et revenait à Cajarc épuisée mais heureuse. Elle aime partir sans savoir où elle va, et gagner, comme elle dit, la province qu'elle adore. La province, c'est un fragment du temps retrouvé, une trace d'un bonheur révolu et doux, celui de l'enfance et de l'innocence, dont elle peut retrouver de petites bribes dans les caves à écouter Sidney Bechet toute la nuit. C'est pour ces raisons qu'elle admire plus que tout au monde *Le Temps retrouvé* de Proust, ce tome-là précisément de *La Recherche*. Les odeurs de campagne, les toits lourds de givre et les allées cavalières sont pour elle les garants d'une vérité à reconquérir. Elle refuse, et le proclame sans cesse dans ses entretiens à la presse, d'être la représentante de la jeune fille moderne, parce qu'elle se sent singulière.

Pour conduire par exemple, elle observe tout un rite qu'on a tôt fait de repérer et qui contribue à façonner la légende. Elle colle presque la voiture qui est devant elle, semble attendre quelques secondes, comme si elle hésitait ou jaugeait le meilleur moment de doubler puis fonce avec une rapidité de guépard. Madeleine Chapsal qui l'interviewe cette année-là se souvient d'une promenade sur l'autoroute de l'Ouest à bord de la fameuse

Jaguar asservie à la conduite précise de Sagan. «Elle conduisait vite et bien, raconte-t-elle, avec la même économie de moyens que dans sa littérature.»

Le rite est enjolivé, les journalistes lui prêtent des habitudes qui la parent d'une aura extravagante tranchant avec ses tenues austères. Elle conduirait ainsi pieds nus. La légende est tenace mais fausse. Elle a beau la déflorer en affirmant que si elle l'a fait quelquefois, c'est simplement pour ne pas avoir les pieds coincés dans des chaussures et du sable entre les doigts! «Je n'ai jamais fait corps avec mes voitures de cette manière», dit-elle. Et de rajouter : «D'ailleurs je n'ai jamais fait corps avec quoi que ce soit.» L'aveu au détour d'une réplique est confusément lancé. C'est peut-être bien là le drame intime de Françoise Sagan, n'avoir jamais fait corps avec qui que ce soit. Blessure secrète d'une fusion jamais éprouvée. Et cette manière de le dire, au détour d'une phrase, dans la distraction.

Sa manière de vivre continue toutefois de surprendre, d'indigner et de fasciner. Elle n'hésite pas à créer le scandale par ses réponses, à jouer cet être hédoniste que le plaisir entraîne sans culpabilité, et qui sait tout aussi bien faire retraite chez ses parents, se pelotonner dans les canapés profonds de leur salon et déplorer comme une adolescente l'inaccessible bonheur. Découvrir l'argent et la liberté qu'il donne est un événement dans sa vie qui lui convient tout à fait. Elle le proclame avec une sorte d'indifférence qui ne la rend ni arrogante ni inconsciente. Son sourire placide vient réconforter les soupçons que la bourgeoisie bien-pensante pourrait formuler à son encontre, elle affirme avec une ingénuité finalement touchante que «l'amour est la chose la plus douce et la plus vivante, la plus raisonnable qui existe au monde. Et le prix importe peu». Elle justifie ainsi sans sourire le fait de dire que lorsqu'elle serait vieille, «elle paierait des jeunes pour l'aimer». Mais au fond d'elle-même, c'est toujours cette jeunesse qu'elle traque et désespère de voir s'enfuir. Sa mélancolie est romantique. Elle affûte ses répliques par crainte de souffrir.

Elle devient sympathique à tous ses lecteurs même s'ils ne partagent pas forcément son mode de vie. C'est ce qu'elle appelle sans pouvoir se l'expliquer «son capital de sympathie» que le temps jamais n'entamera.

Désenchantée, souvent désabusée, désemparée. C'est finalement ce préfixe privatif qui la caractérise le mieux. Défaite, déliée, dépossédée… C'est le même chant plaintif du «jamais plus» qu'elle fredonne.

Au hasard de ses sorties dans Paris, elle voit en vitrine son livre qui continue à être parmi les meilleures ventes de la rentrée littéraire, six mois après sa sortie. Elle n'a plus le regard amusé des débuts lorsqu'elle aimait voir *Bonjour Tristesse* en piles, accompagné de sa bande promotionnelle. Un jour, elle raconte qu'une lectrice dans un bus où elle se trouvait a sorti son livre de son sac. Nonchalamment elle le parcourt, commence à lire une page puis se met à bâiller. Il ne lui en faut pas plus pour descendre précipitamment à la première station, renonçant à ces contacts dangereux avec son public...

Peu à peu Françoise Sagan entre dans sa légende, dorée et solitaire, voulant vaincre l'ennui dans cette vie interlope qu'elle affectionne, nocturne et libérée, quand l'ivresse de vivre affûte la pensée puis la noie dans des petits matins gris et ternes. En public, sur les clichés on la voit toujours maussade, comme si elle boudait sans cesse. Ceux qui l'entourent font mine de ne rien voir, fiers d'être à côté du «phénomène». Le succès ne lui tourne pas la tête, elle donne au contraire l'impression de subir, s'initie à l'hypocrisie du monde : «J'ai beaucoup souffert, dit-elle, de me voir comme un objet promené sur la place publique.» Une sourde angoisse naît en elle, qu'elle portait inconsciemment depuis l'adolescence. Celle d'être condamnée désormais à la célébrité. Elle fait son travail comme l'exige la maison Julliard. Mais le soir, elle redevient ce personnage atypique qu'elle a toujours été, à Hossegor comme aux Oiseaux : rebelle et loufoque, douée d'une puissance vitale inouïe, aimant rire et danser jusqu'à l'épuisement. Elle a une drôle de silhouette, petite et plutôt maigre, juchée sur des talons aiguilles ou sanglée dans des ballerines bien sages, sweat noir et jupe anthracite, elle s'invente «le look Sagan», elle s'enveloppe dans un imper sans couleur, ne fait aucun effort pour soigner ses cheveux et les discipliner. Cette condamnation à la célébrité en rejoint une autre. Elle sait que personne ne lui fera de concessions quand elle publiera son second roman.

L'angoisse de ne pas être à la hauteur du premier, de décevoir René Julliard, son public, les critiques qui l'ont soutenue assombrit son existence. Seules les soirées entre copains, le jazz, l'alcool et cette vie nocturne particulière où les conversations s'aiguisent et se délitent, ont raison de son malaise. L'argent qu'elle gagne ne sert qu'à payer sa voiture, des fourrures pour elle et sa mère, panthère et vison, et les sorties qu'elle offre à sa bande sans jamais regarder à la dépense. Très vite, l'argent si facilement gagné devient une abstraction, il ne s'agit que d'en réclamer à la comptable des éditions Julliard et il lui est versé sans commentaire.

Contrainte aux cocktails, aux premières, aux vernissages et acceptant quand même d'entrer dans le jeu du paraître, elle adopte le parti d'observer. L'analyste qu'elle trahit dans son «coup d'essai» est avide des comportements humains, elle éprouve une sorte de tendresse détachée pour cette humanité parisienne et artiste qu'elle côtoie. Elle la traque minutieusement, jamais avec mépris et hauteur, toujours subrepticement et au vol, de ce regard qui n'a l'air de rien, et engrange cependant des situations et des attitudes. Georges Belmont, rédacteur en chef de *Paris-Match*, le raconte dans la revue *Arts*, en 1965 : «Ses yeux ne perdaient rien, pas une miette du spectacle, et rendaient ironie pour ironie, goguenardise pour goguenardise. Mais Dieu, déjà aussi, qu'elle était seule!»

Quand elle affiche cette «timidité désinvolte» dont parle encore Belmont, c'est parce qu'elle se sent différente, décalée par rapport à une réalité. À cause de ce qu'elle a écrit, on la croit en phase avec la jeunesse alors qu'elle en est aussi loin qu'elle en paraît près. Son regard trahit toujours une certaine absence, une rencontre qui n'a pas eu lieu et dont elle sait qu'elle n'aura jamais lieu.

Alors s'étourdir, mentir et se mentir, jouer le jeu adorable et désespéré de Musset pour lequel elle a une tendresse particulière. Pour sa veulerie, son absolu désespoir, sa légèreté et son esprit d'enfance.

Ce charme de l'enfance, elle va le trouver justement chez un nouveau venu dans la bande qui se forme déjà autour d'elle. Michel Magne, musicien de formation, s'est rendu célèbre pour ses expériences de musique concrète, comparables à celles de Pierre Henry ou de Pierre Schaeffer. Le caractère loufoque et pétillant de ce jeune homme de cinq ans son aîné lui fait découvrir un univers absurde et burlesque qui l'enchantent. En 1954, Magne a composé la musique du film de Jean Mousselle, *Le Pain vivant,* d'après François Mauriac. Le film n'a pas un succès extraordinaire mais les encouragements de l'académicien sont élogieux : «Ne vous faites pas d'illusion, mon cher Magne, votre musique, à force d'être comique, est essentiellement dramatique. Mais ne changez rien, elle fonctionne comme cela.»

«Comme cela», c'est-à-dire dans ce mélange des sons qui dérange l'oreille bourgeoise que Magne aime bien provoquer et irriter. Son dernier concert a eu lieu le 15 juillet 1954. Ce jour-là, salle Gaveau, devant un public parisien averti, il donne ce qu'il appelle lui-même «un concert de musique inaudible». L'intensité des infrasons générés, raconte-t-on, donne «la colique à tout le public… que quinze gardes du corps rugbymen (un par porte de sortie) refoulent impitoyablement dans la salle, en dépit des tracas intestinaux qu'il a!» Le compte-rendu de cette «bataille d'Hernani» est relatée le 31 juillet dans *Paris-Match*, la semaine où Michel Déon a écrit, anonymement, l'article consacré à Françoise Sagan sur la côte basque intitulé «Françoise Sagan, la petite fille toute simple gagne des millions mais a peur la nuit».

Michel Magne a lu évidemment l'interview de Sagan et lui téléphone. Elle l'invite à prendre un verre dans l'appartement de ses parents. Coup de foudre, admiration mutuelle. Leurs esprits se rencontrent dans l'humour, le cynisme à froid, la poésie burlesque. Celui que Jean Cocteau surnomme «le fou merveilleux» veut séduire la jeune romancière. Elle se prête volontiers à son jeu, lui trouvant cette manière de vivre poétiquement qu'elle réclame face à l'ennui de l'existence, à la monotonie des relations humaines, au manque de goût que ses contemporains ont pour la fête. Le musicien équilibriste qui fait de la musique comme on fait du cirque, saltimbanque et funambule, devient très vite un membre de sa famille spirituelle. Sa famille des nuits interminables non pas occupées à refaire le monde mais à jouir en derniers dandys de toutes les ivresses.

Elle rit quand il lui raconte le prochain concert qu'il entend donner en 1955 au palais de Chaillot :

un concert de musique «science-fiction», les titres des morceaux seront dignes de Bobby Lapointe : «Secousse sismique n° 2773 ter», «Mélodie populaire d'un autre monde ou mars en avril», «Berceuse pour grincements de violoncelle et orchestre à cordes», «La symphonie humaine», dont l'apothéose sera la profération des discours de Hitler lus à l'envers («pour lui faire ravaler ses paroles!»).

Françoise Sagan accepte d'emblée, avec la spontanéité enthousiaste naturelle qu'elle possède et cette intuition d'être en accord avec certains êtres, de collaborer avec Michel Magne aux divers projets auxquels il veut l'associer. Elle accepte en particulier de lui écrire des paroles de chansons. Pour Sagan, c'est une chose facile. Elle a toujours griffonné des vers de mirliton dans son adolescence et elle est tout à fait prête à lui écrire quelques couplets. Mais ce qui est au début un jeu trahit peu à peu sa «métaphysique» dilettante

«Va vivre ta vie
Puisque tu crois encore
Qu'il suffit de vouloir s'en aller
Va vivre ta vie
Puisque tu crois encore
Que la vie, ça se vit au dehors...»

Elle glisse dans sa «petite musique» le signe de cette résignation qui fonde son interprétation de la vie, cette sorte de fatalisme devant l'existence qui lui rendent méprisables, en même temps qu'elle en jouit, tout ce qui est de passage, l'argent, le monde, les affaires, le pouvoir. Elle va toujours chanter la solitude dans les courts textes qu'elle confie à Mouloudji, à Juliette Gréco et qu'ils vont interpréter. La sortie du premier microsillon 45 tours se fera le 14 juin 1956 avec quatre chansons : *Sans vous aimer, Vous, mon cœur, La Valse, Le Jour*. La solitude qu'elle traîne avec et derrière elle comme un oripeau, une de ces capes que traînait aussi derrière lui Alfred de Musset, le poète qui lui «ressemble comme un frère». Car «c'est à deux, chante-t-elle, qu'on fait la vie

Comme c'est à deux qu'on fait l'amour
Je te le dis, je te le jure,
Il n'y avait qu'une seule aventure
C'est ce qu'ils appellent le bonheur
C'est ce que nous avons manqué.»

L'imaginaire de Françoise Sagan se cantonne dans ces aveux en demi-teintes, dans ces «manques» que sont la passion, le grand amour, la fidélité à la nature, l'admiration, et que «la saine pudeur de la jeunesse», comme elle l'explique, lui interdit de vivre réellement. Il y a une sorte d'autocensure qui sans cesse l'empêche de vivre vraiment ce qu'elle ressent au fond d'elle-même de manière certaine et bonne pour elle. Ce bonheur qu'elle donne à chanter, comment le vivre? Comment l'acquérir, le conquérir? «Tout ce qui était sentimental me paraissait tout à fait comique, ridicule», dit-elle. Seuls la dérision, le plaisir immédiat, cette forme d'hédonisme qu'elle pratique, les substituts du bonheur, alcool, sexe, voiture, effacent un temps la mélancolie. Et divertissent. À dix-huit ans, Sagan ressemble à Blaise Pascal qui n'a pas encore trouvé la grâce de disparaître dans le silence de Port-Royal, et s'adonne aux plaisirs de Versailles.

Mais il ne reste que le goût amer de la solitude, elle le confie pour Michel Magne dans des vers à moitié ficelés, et qui résonnent cependant comme des échos d'une tristesse secrètement enfouie, d'un exil irréparable :

« Solitude, de tes promesses
Il ne m'est resté que des fumées,
Fumées des nuits blanches,
Mon cœur s'y épanche
En longs regrets…
Moi j'espérais qu'un jour je te quitterais
Pour quelqu'un que j'aimerais,
Quelqu'un qui me garderait… »

Rien n'est innocent, pas même ces vers maladroitement troussés, on s'en doute, dans la nonchalance habituelle, sur une nappe de papier ou dans un bistrot.

C'est peut-être cette aptitude à la résignation, cette indifférence affichée avec une élégance désinvolte et presque douloureuse qui séduisit le jeune écrivain Bernard Frank, « l'outrageusement intelligent », comme le décrit François Nourissier, rencontré en mai 1954 lors d'un cocktail chez Denoël. Pour décrire la scène de la rencontre, pas de pathos sentimental, pas de romanesque. Bernard Frank use volontairement d'une sobriété presque provocante : « Elle avait dix-huit ans. J'avais vingt-quatre ans. »

140

Essayiste, il s'est déjà fait connaître pour son fameux article sur les Hussards et les Grognards paru en 1952 aux *Temps Modernes*. À vingt ans, il écrit son premier roman sur un cahier de brouillon, une fois achevé, il va le porter illico chez Sartre en personne, rue Bonaparte. Depuis deux ans, il le talonne pour lui montrer ses cahiers. Cette fois-ci, Sartre, emballé par son texte, demande à Jean Cau, son secrétaire, de l'envoyer chez Gallimard où il est lu par Arland, Queneau et Paulhan qui acceptent de le publier. À vingt-deux ans, Sartre encore lui confie la critique littéraire des *Temps Modernes*. Frank a cette insolence des dandys que Sagan aime, il manie l'art de la pointe et de la flèche acérée avec une injustice et une clarté tout à la fois qui le font redouter de tous les écrivains épinglés sans ménagement. Il a déjà lu *Bonjour Tristesse* et plus que par le texte, il est charmé par la personnalité de la romancière. Sa jeunesse, sa gentillesse ne sont à ses yeux que des apparences presque érotiques. En réalité il la perçoit comme lui, déjà vieille de tout un savoir, cruelle souvent, ironique et blasée, sûre que la seule chose qu'elle sache, «de source totalement sûre», est qu'un jour la mort surgira, et qu'elle prendra alors entièrement la place.

Le fait qu'elle conduise une Jaguar intéresse ce jour-là Bernard Frank davantage encore que les «liaisons dangereuses» des héros de *Bonjour Tristesse*, encore trop romanesques à son goût, trop psychologiques. «Comme c'était la mauvaise heure pour les taxis, dit-il, et que j'avais rendez-vous avec une dame… »

Il découvre chez Sagan cette férocité de vivre qu'il entend sourdre en elle et qui reste encore comme enfermée dans des réflexes de jeune fille bourgeoise. «Cette démarche furtive, polie, féline» qui provoque ce qu'il finit par appeler, près de trente années après, «le coup de foudre».

Entre eux, c'est la certitude d'appartenir à la même famille. Goût commun pour les vacances, la paresse et même fascination pour l'ennui, cet état qui, selon Bernard Frank, «ne l'ennuie pas» et dont il fait même «ses choux gras». Sa rencontre avec Sagan n'est pas appréciée de tous. Jean-Edern Hallier par exemple rompt leur amitié au prétexte qu'en s'entichant de Sagan, il entre «dans Delly et consorts». L'écrivain polémiste aime les engagements outranciers, les passions rares et violentes, les ukases intellectuels à la manière de Léon Bloy et méprise les intrigues plates et le style «rédaction française» de la jeune romancière. Mais Frank n'en a que faire. Il trouve que leurs tempéraments se conjuguent admirablement. Il est sauvage, aime le silence comme un trappiste, refuse de jouer avec les médias, il est, selon ses propres mots, «le rat des champs, la taupe frileuse». Elle, au contraire, est projetée sur le devant de la comédie, elle ne l'a pas voulu, mais elle en admet la réalité et décide de tenir vaillamment son rôle tout en gardant raison. Elle est «la souris policée qui a réponse à tout».

En novembre 1954, il lui demande de participer au renouveau d'une revue, *La Revue blanche* qui était celle de Léon Blum en 1910. Françoise Sagan accepte avec enthousiasme. L'univers dans lequel *Bonjour Tristesse* la cantonne commence à lui peser. Les débats qui tournent autour du récit l'ennuient à périr et elle n'a aucune réelle envie de jouer les porte-drapeaux d'une jeunesse dont elle ne connaît qu'une toute petite frange non représentative de la jeunesse des années 50. Avec Frank, elle est certaine que le débat sera plus élevé, qu'elle va traiter enfin de ce qui l'intéresse au plus haut point, la littérature. Elle éprouve pour lui non seulement une amitié amoureuse absolue mais encore une grande admiration. Il est à ses yeux un de ceux qui ont le regard le plus aigu sur la littérature, classique comme moderne; ses articles, presque des essais, sur les Hussards ou Drieu La Rochelle, sont anthologiques. Mais le projet de refonder la revue va très vite sombrer dans des imbroglios financiers auxquels ne sera pas étranger Guy Schoeller, décisionnaire chez Hachette et qui deviendra cependant son mari en 1958.

De cette époque, Bernard Frank se souviendra surtout de la personnalité attachante de Françoise Sagan, emportée malgré elle dans le grand maelström du succès au risque de se perdre, de cette mélancolie rivée en elle et de ce profond désespoir qui la pousse à jouir de la vie avec tant de brutalité.

Dès le début de l'été, comme pour fuir la ville et le succès, mais aussi comme pour se fuir, elle file sur la route vers le Sud. La Nationale 7 déroule son long ruban d'asphalte et passe par Saint-Tropez. Au volant de la Jaguar X/440, «un jeune homme décoiffé (mon frère) et à ses côtés, une jeune fille décoiffée (moi-même)». La route fut insouciante, paresseuse et joyeuse. Ils «traînassent» dans les villages», «s'arrêtent dans les cafés». C'est l'été 55. Saint-Tropez vit sa dernière année de tranquillité. «L'on n'aperçoit à gauche que des tricoteuses paisibles et, à droite, que des marins nonchalants.» Deux ans plus tard, «l'argent sera là»... Encore la perte de l'enfance...

Les maisons aux toits de tuiles ocres et roses se chevauchent en un inextricable dédale dont le seul «élément stable... est l'eau bleue, l'eau plate de son bord». Sitôt arrivés à Saint-Tropez, Françoise Sagan et son frère Jacques se ruent sur la seule agence immobilière du village pour louer une maison. Ils choisissent la plus grande, près du port de La Ponche dont les quais qui filent en pente douce vers la mer sont recouverts de filets. Des pêcheurs nettoient leurs embarcations sous le soleil, les touristes ne viennent pas encore troubler l'harmonie d'un lieu dont Sagan dira qu'il éveille «une rêverie, une folie douce ou pas, quelque chose en tout cas que ne déclenche ainsi à l'unanimité nul autre endroit au monde».

Commence donc l'été, dit-elle, qui restera le plus mémorable à son esprit, le plus légendaire. Les autres fois verront la dégradation de Saint-Tropez, la mer trahie, le vieux village pentu envahi.

Elle forge, cet été-là, sans le vouloir, son propre mythe fait de farniente et de soirées interminables à

Bonjour Tristesse

1954. Au temps de *Bonjour Tristesse*.
Françoise Sagan et le charme discret
de la bourgeoisie.

2 mai 1955, 18ème après-midi du Livre, organisée par une association d'écrivains combattants (!) Aux côtés de Pierre Flourens, la découverte de René Julliard signe son premier roman : la bande annonce 810 000 ouvrages déjà vendus.

1955. Avec Annabel, l'amie fidèle.

1954. Elle aime à taper ses romans directement, et d'un doigt, sur une machine à écrire plutôt que de les écrire à la main : cela fait plus propre, dit-elle et permet de mieux en concevoir l'ensemble.

Saint-Tropez

1956, Françoise Sagan en sa légende.

Saint-Tropez, 1956. De gauche à droite, Bernard Frank, Françoise Sagan, Michel Magne, Madeleine Chapsal.

1956, Saint-Tropez. On y reconnaît debout, Jacques Quoirez et Florence Malraux; assis, le berger allemand, Popof, Michel Magne et Françoise Sagan au volant.

mondanités

12 mars 1957. Interprète féminine de Cécile, l'héroïne de *Bonjour Tristesse*, Jean Seberg aux côtés de Françoise Sagan.

13 mars 1958, mariage de Françoise Sagan et de Guy Schoeller. A l'issue de la cérémonie, dans la cohue générale, Sagan s'approche d'un radio reporter qui veut l'interroger.

14 juin 1956. Françoise Sagan fête à la Microthèque de la rue d'Argenteuil la sortie de son 45 tours comprenant quatre chansons écrites par elle, interprétées par Juliette Gréco, musique de Michel Magne.

Octobre 1958, à l'Opéra Comique. Françoise Sagan vient féliciter Jacques Chazot.

4 janvier 1958, première du *Rendez-vous manqué*, le ballet de Françoise Sagan, au Théâtre de Monte-Carlo. Tout le Gotha mondain de la Côte d'Azur y est invité. La romancière s'entretient avec Jean Cocteau.

1957. Soirée de gala à l'Opéra de Paris. Françoise Sagan, quelque peu intimidée, monte les marches sous l'œil impassible de la Garde Républicaine.

26 octobre 1956, Cocktail en l'honneur de Françoise Sagan à New York. Elle exhibe fièrement la traduction américaine de son roman, *A Certain Smile...*

l'accident

19 octobre 1957. Reconstitution de l'accident. Françoise Sagan accoudée à son Aston Martin.

29 avril 1957. Françoise Sagan, harcelée jusque sur son brancard par les journalistes, quitte l'hôpital Maillot après son accident.

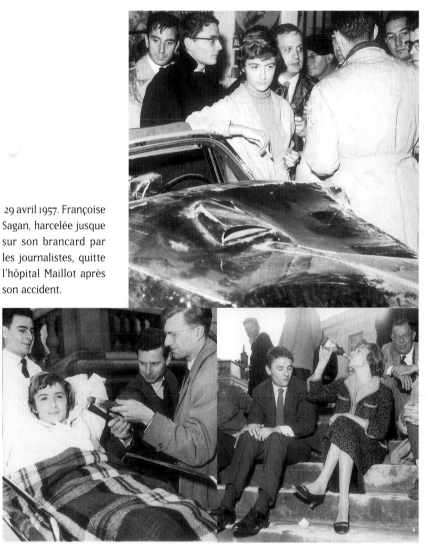

14 octobre 1958. Avant de paraître devant le tribunal, Françoise Sagan, assise sur les marches du Palais de Justice, vide une bouteille de bière à la grande joie des photographes.

14 octobre 1959. Françoise Sagan, un brin goguenarde derrière les grilles du Palais de Justice. Trois procès étant intentés contre elle, elle se rend à la convocation de la justice pour répondre de ses imprudences au volant.

danser le cha-cha-cha, le be-bop, traversé d'alcool et d'amours passagères. Elle règne sur la maison, en est l'âme en lui donnant son style, le ton de ses livres, cette vie qu'elle a racontée dans *Bonjour Tristesse* et qu'elle a, comme dit Madeleine Chapsal qui sera son invitée, «hallucinée». Elle aime magnifier les instants, des fragments de bonheur vite mais pleinement vécus et qui ont la saveur rapide du souvenir. Saint-Tropez est habité par Sagan, et bientôt par Bardot et Vadim : heures abandonnées au passage du temps, aux nuits douces, aux jeux de l'amour. Sagan et sa bande possèdent littéralement Saint-Tropez, ils sont connus de tous ses habitants, encore indulgents et bienveillants à l'égard de ces «fadas» qui font «klaxonner leurs voitures à l'aube dans ses ruelles». Cette année-là fut la seule dont elle ait gardé plus tard le souvenir ébloui, la mémoire d'un jeune âge innocent où elle «usait et abusait», du sable, de la solitude et de la beauté du village. Elle imprime son rythme de vie à tous, une vie sans horaires ni rites établis, «sans obligations d'aucune sorte» comme le raconte Madeleine Chapsal. «À chaque étage régnait le plus grand désordre : vêtements jetés en vrac, chaussures égarées, journaux en litière, disques, livres, éparpillés, meubles bousculés pour les besoins d'un moment, jamais remis en place... »

Pour les déjeuners, ils se passent la plupart du temps dans les bistrots du village et c'est toujours Françoise Sagan qui paie. Elle règle l'addition, sans discuter, pour toute la bande, comme une évidence.

Mépris de l'argent, peur de la solitude. Elle s'entoure d'amis de passage, vrais ou faux, qu'importe, pourvu que son monde la protège. Quelquefois, selon l'aveu de Chapsal, elle s'éclipse, ne participe pas aux folies de sa bande, aux conversations sans fin, et va se reposer, faire une sieste ou simplement se retirer dans sa chambre pour écrire. Elle aime entendre la rumeur de ses amis, et s'en tient cependant éloignée par une sorte de pudeur ou de discrétion qui la font étrangère aux autres, différente.

Elle aime vivre dans cette atmosphère débonnaire et étudiante, «on riait tout le temps du repas, pour n'importe quoi, une plaisanterie, une sottise, un calembour, qui ne parvenaient pas jusqu'à l'autre bout de la table où l'on riait quand même…»

Les nuits sont brûlantes, à L'Escale ou Chez Palmyre, Sagan danse sans état d'âme, presque indifférente, et inlassablement «en avant, en arrière, faisait cha-cha-cha». Elle boit beaucoup mais sans jamais sombrer dans l'ivresse, «juste assez pour se maintenir continûment dans un état de griserie sans faille qui tient lieu de bonheur, une anesthésie douce où l'on perd totalement, insoucieusement, la notion du temps».

Elle ne danse pas comme Brigitte Bardot dansera bientôt, dans le même village, son fameux mambo de *Et Dieu créa la femme*. Elle n'a pas sa fureur et sa sensualité, elle danse «sans variété» comme le note toujours Madeleine Chapsal qui l'observe avec le même œil affûté de Saint-Simon, «toute seule».

De toute manière elle intrigue, selon Annabel, «par ce mélange d'enfance et de femme qui se dégage d'elle». Par ce goût pour «les choses défendues» et «les sains plaisirs des sens». Elle les pratique naturellement avec cette nonchalance de chat qui la caractérise. Sauvage comme eux, discrète jusqu'à vouloir paraître insignifiante, passer presque inaperçue. Fuite? Sûrement et que Madeleine Chapsal détecte aussitôt : «elle fuyait comme la peste toute question un peu personnelle, un peu trop intime, qui aurait pu faire "mal", c'est-à-dire faire penser… »

Elle aime vivre dans cet écoulement du temps, sans chercher à le contrarier ou à modifier le monde, préférant cette paresse qu'incarne à ses yeux plus que tout autre endroit Saint-Tropez. Au milieu de sa bande, ses amis observent qu'elle «est seule et que surtout elle veut le demeurer». Souvent elle préfère rejoindre sa chambre au désordre indescriptible que la femme de ménage tente chaque matin de ranger en maugréant contre ces jeunes gens qui «ne respectent rien». Elle aime se pelotonner dans des coussins et somnoler à la manière des chats, rêvassant, écoutant du jazz ou la voix de velours de Mouloudji qui déchire le cœur, rend mélancolique. Elle jette quelques phrases sur un cahier, prend des notes, inscrit un détail remarqué dans la journée qui plus tard servira peut-être au prochain livre.

Elle attend surtout le soir pour aller dîner et danser, le café de la Ponche, L'Escale, Les Mouscardins, sont ses haltes obligées, elle accueille toute sa bande à table et c'est toujours elle qui paye. Elle a dans ses poches des liasses de billets qui servent pour la soirée, elle les prend dans la maison louée où elles traînent partout, sur les commodes comme dans les vases, les fourre dans ses poches, négligemment. Quelquefois, précise encore Madeleine Chapsal, elle laisse payer son frère mais c'est avec son argent.

Il règne dans la bande une tendresse, un véritable amour qui les relie tous, comme s'ils étaient des «enfants terribles», frères, sœurs, amants, capables de toutes les excentricités, de toutes les extravagances.

Sa manière décontractée s'applique aussi à ses vêtements : peu attentive à une coquetterie «de femelle», comme dirait Chapsal, elle s'habille de rien, marche pieds nus, aime par-dessus tout les pulls et les chemises d'homme qu'elle porte à même la peau, les jeans élimés qui accentuent son air androgyne et désabusé.

Les jours à Saint-Tropez s'écoulent dans une sorte de candeur poétique dont Françoise Sagan gardera toujours l'amère nostalgie. Innocence, insouciance, ingénuité, tels sont les signes distinctifs de cette vie dont le luxe réside dans «les nuits blanches, les fous rires dans la pénombre, les poursuites dans les ruelles, les amours sans suite et les imprudences sans consé-quence». Comme pour évoquer son enfance, Sagan ne retient de ses vacances tropéziennes que de fugiti-ves images, des sensations presque évaporées, mais dont le sillage reste cependant tenace ou à recompo-ser. Son écriture procède de la même approche, de la même nature : impressions fugaces et fluides, charmes minuscules de certains moments, musiques qu'aurait aimées Fitzgerald et qui se perdent dans la nuit, courses en voitures décapotables le long des corniches abruptes, vers Sainte-Maxime.

Alfred de Musset n'est encore pas très loin dans cette ivresse de vivre, dans ces jeux de hasard, dans cette mort sans cesse frôlée, souriante, vécue dans la tiédeur d'étés sans fin.

De Saint-Tropez, Sagan va faire son «île», un lieu qui convient à ses désirs, à l'abri des regards, qui accueille son succès sans étonnement, sans polémique. C'est que Saint-Tropez ressemble à beaucoup d'égards à Cajarc, avec ses maisons «attendrissantes», serrées autour de leur clocher. L'éternelle nostalgie de l'enfance préservée revient comme un refrain dans la vie de Sagan, elle traque cette enfance dans des lieux, dit-elle, qui sont généreux et rassurent : «une porte qui bat, qui s'ouvre pour vous attirer et une fenêtre allumée toujours pour vous dire où vous êtes». La porte, la fenêtre, la lampe, on n'est pas loin du village rêvé de Saint-Exupéry, de la nostalgie des Ardennes dont Arthur Rimbaud rêvait, égaré dans les sables d'Abyssinie...

Depuis l'insurrection algérienne, Simone de Beauvoir, tous les intellectuels de gauche et l'opinion, «même la plus prudente», note l'écrivain, dénoncent ou constatent «le génocide qui sous le nom de répression» fait déjà d'innombrables morts. Ratissages, tri-

bus entières livrées à la famine et aussi camps d'extermination. L'indifférence de Françoise Sagan, comme
elle le dit, quelque cinq années après, est cependant
plus forte que l'action ou l'engagement. La prise de
conscience assez tardive se traduira certes par des péti-
tions, de la compassion verbale, des témoignages et de
l'argent donné, mais ne revêtira jamais l'exaltation de
Simone de Beauvoir, de Gisèle Halimi ou de
Marguerite Duras. Pour arracher Sagan à ce qu'elle
nomme son «confort douteux que donne le sentiment de l'impuissance» ou cette «lassitude horrifiée
que l'on éprouve à signer une millième pétition», il
faudrait plus encore que le martyre de Djamila
Boupacha ou de Djamila Bouhired.

Le procès d'une poseuse de bombes algérienne
réveillera sans doute quelques accents horrifiés et
scandalisés («je ne pensais pas, dit-elle, qu'il puisse y
avoir de limites à l'indifférence générale sur certains
sujets et surtout à la mienne»), mais jamais on ne la
verra sur le terrain, comme Beauvoir ou Duras. Elle
préfère les douceurs de Saint-Tropez, vécu comme un
lieu de refuge, un des derniers bastions d'innocence.
La conscience de la vanité des choses et de l'impossible «cicatrice» de soi dans le monde, comme le pro-
clamait André Malraux, est sans doute pour beaucoup
dans ce délaissement de l'histoire, dans cette défaite
de la lutte. L'homme, elle en a l'intime conviction, est
déjà dans la certitude profonde (qu'il peut se cacher
d'ailleurs à lui-même), que tout est désespérément
perdu et vain. Face à l'ennui de vivre, il n'y a que trois

attitudes, la fureur de vivre, l'engagement ou la mystique. Sagan choisit la voie de l'indifférence par le «divertissement». Mais les trois voies se rejoignent et partent du même constat : semblables utopies de Simone Weil et de Simone de Beauvoir!

Alexandre Astruc qui la rencontre à cette époque écrit des mots presque indignés pour décrire le comportement désinvolte de Sagan à Saint-Tropez : «Au moment où elle avait regardé cette pâte croustillante du monde faite de petits bonheurs et de grandes joies, elle l'avait regardée retomber comme un soufflé raté : elle avait vu [ce monde] comme il était. Une suite incohérente de petits moments sans intérêt à piétiner avec application, une interminable collection de secondes à tuer l'une après l'autre, en essayant d'oublier dans le tam-tam des boîtes de nuit les secousses spasmodiques des guitares électriques du rock.»

La vie, le monde : un soufflé raté, une collection de secondes à tuer... Alors danser, «plus que jamais»... Car, souffle-t-elle presque oppressée : «comment admettre quand [l'homme] réfléchit, la nuit ou à n'importe quel moment, ce terrible chemin quotidien vers la mort?»

Avant de partir danser, le soir, à Saint-Tropez, et d'entraîner toute sa bande dans «cette maladie de l'ennui», elle la quitte pour aller écrire son prochain roman dans une chambre interchangeable, au lit défait, où restent encore, selon Astruc, des miettes de langoustes grignotées sur l'oreiller. Il ne s'agit jamais de rite et de concentration, ce sont des mots, des phrases qui viennent tout seuls, des souvenirs de quelques scènes qu'elle a sûrement observées dans le brouhaha du monde, à la manière de Marcel Proust, et qu'elle capte de ses yeux qui savent saisir le détail ou le secret. Ce ne sont pas des heures de labeur dans la solitude, mais quelques quarts d'heure seulement, le temps d'écrire deux ou trois pages de ce style fluide, presque banal, avec cette teinte inimitable de lassitude et de mélancolie. Après il s'agit d'enfiler un jeans ou un de ces pantalons corsaires qui sont très à la mode cette année-là, un pull d'homme et d'aller danser, chaussée d'éternelles ballerines pour épuiser le temps et se frotter à de jeunes hommes de passage comme s'ils étaient, dit-elle, des savons...

Comme le héros de Benjamin Constant, Adolphe, auquel elle aime souvent s'identifier, elle se taille une réputation «de légèreté, de persiflage et de méchanceté». Comme lui, elle veut peindre «cette fatigue, cette incertitude, cette absence de force, cette analyse perpétuelle» qui l'empêchent de vivre pleinement et de manière solaire. Comme lui encore, elle est incapable de passion. À Madeleine Chapsal qui se plaint une énième fois de ses déboires sentimentaux, elle répond, presque irritée : «Et alors? Quelle importance? Laissez tomber! Passez à quelqu'un d'autre!» À Alexandre Astruc qui se lamente de ne pouvoir aller au bout de la première scène du synopsis qu'il a l'intention d'écrire avec elle à Saint-Tropez, elle répond tout aussi excédée en gardant cependant un ton extrêmement gentil et suave : «Arrête un peu, Alexandre, passe-moi la plume, c'est à moi maintenant. Assez de grands sentiments, un peu de méchanceté, veux-tu?»

Le modèle d'Adolphe n'est pas innocent. Sagan choisit ses héros parce qu'ils lui ressemblent : Swann, Mathieu de *L'Âge de raison*, la Sanseverina, Charles Bovary. L'impuissance et le désir fou de la passion, le goût amer de la lucidité et finalement le pur désespoir. Comme Adolphe, elle est incapable de recourir à l'imaginaire, adoptant l'analyse et l'introspection pour suppléer ce manque d'énergie qui soudain la ravage. User le temps ou s'abîmer dans son gouffre aveugle, c'est à cette sorte de romantisme nu qu'elle s'adonne dans la clarté de sa pure conscience. Rien ne pourra combler l'immense vide trop tôt perçu. Les bains de mer sont eux-mêmes brefs, les bains de soleil aussi comme si elle ne pouvait se livrer trop longtemps à la jouissance sensuelle, méditerranéenne, de l'existence, comme celle qui l'a précédée dans ce même lieu de Saint-Tropez et qui, à La Treille Muscade, jouissait de la plénitude du soleil et se baignait dans le bleu profond de son ciel. Colette dont elle ne connaîtra jamais la jubilation gourmande et sa volupté à écrire. Et dont elle atteindra cependant quelques impressions dans sa fameuse «petite musique».

Les soirées pourtant s'allongent jusqu'à l'aube. Sagan dort jusqu'à quatre heures de l'après-midi, reprend un manuscrit, jette quelques mots qui lui viennent presque naturellement aux lèvres et qui forment une chanson mélancolique, chanson des dernières amours, des derniers baisers, des «jamais plus» dont elle a la certitude intime depuis l'enfance :

«La fenêtre ouverte
Sur l'aube déserte
La vie, l'amour,
C'était la vie
L'amour tant pis».

La petite ritournelle ressemble à Éluard auquel elle aime emprunter la douceur résignée des amours passagères et forcloses, la versification si simple que la phrase ne semble tenir qu'à un fil, comme un mobile de Calder ou une gouache de Miró, une poésie presque insignifiante, déjà effacée à peine que d'être chantée. Des nuages, des vagues.

Elle aime sa bande, avec laquelle elle mène, comme dit la propriétaire de l'Hôtel de la Ponche, «la vie de famille». Jeux de cartes, étreintes fragiles, ivresse des danses : à quoi bon tout cela, au fait ? La société organisée, prétend-elle, est «ennuyeuse», il faut lui opposer la révolte et «la marge». Vivre donc en marge, c'est profiter de cette chance inouïe, «excessive et insolente» qui est, dit-elle, «venue habiter avec moi, il y a un an, et qui, depuis, ne m'a pas quittée». Parler d'elle comme d'un talisman : elle a «la chance», comme on dit avoir la paix, la santé…

C'est dans cet univers existentiel défait, délié de toute habitude, de toute règle, que se bâtit pourtant l'œuvre à venir qu'attendent toute la critique et tous ses lecteurs. Elle y pense constamment, chaque jour de cette vacance du temps, captant ici et là des traces de portraits, de réflexions, de situations qu'elle va exploiter. L'univers est poétique, ne correspond pas forcément à la jeunesse de 1954, mais répond à un désir profond de changement que la dernière guerre, les désillusions patriotiques et coloniales, les effondrements religieux ont provoqué. La France des années 50 est en plein désarroi, toutes les grandes instances institutionnelles sont en faillite, l'armée, l'éducation, la religion, la famille. À la jeunesse, il n'est donné aucun projet, aucun désir, aucun élan. Sagan le sait qui campe ainsi l'héroïne d'*Un certain sourire* :

« Vous savez comme se passe l'École du Louvre pour moi. Mes parents sont toujours en Afrique du Nord : ils m'envoient toujours des chèques. Je suis toujours l'inutilité même socialement. Cela m'est égal, mais…

Elle hésita :

— Mais j'aimerais passionnément faire quelque chose qui me plaise, non qui me passionne. »

L'amour fait alors diversion dans le désespoir entré subrepticement par effraction. Mais Sagan et sa bande ne veulent pas s'avouer cette perte ni gloser sur elle.

« C'est drôle quand même, la vie, tout ça…

— Quoi ? dit-il.

— Je ne sais pas.

Et se retournant vers lui, elle s'endormit sur le côté. Il resta un moment immobile, puis il éteignit leurs deux cigarettes et s'endormit à son tour. »

Les jeux de l'amour et de la plage, la paresse et la non-chalance, l'ivresse et l'impudence ne sont que des pis-allers du malheur d'être, du déchirant désespoir qui cogne quand elle est seule. «La vie passe, fait-elle dire à un de ses héros, Simon. Je reste, tu restes. Nous dansons.

— Nous danserons toute notre vie. Nous sommes de ces gens qui dansent», rétorque l'héroïne.

Dans la joie des fêtes et des jeux de toutes sortes, poétiques et surréalistes, comme ces virées sur la plage pour pique-niquer sous la pluie battante auxquelles elle oblige ses amis, il s'entend quand même le chant rauque d'une souffrance dont elle sait que jamais elle ne se refermera, et qui la laisse livrée à elle-même, sans attache finalement, sans enracinement.

Il n'est pas étonnant qu'elle ait «vu» Venise lors de son séjour italien en octobre 1954, au cours d'un reportage commandé par le journal *Elle*, comme une cité qui s'écroule, sans attaches, livrée, elle aussi, aux courants délétères d'une société achevée, morte : «Les canaux sont noirs, les palais baignés de lueurs vertes, les gondoles frôlent la vôtre sans un bruit. Quelquefois, le gondolier courbé sur sa rame dans un geste de supplicié, de supplicié paresseux, jette un cri rauque pour avertir de sa présence. Il tourne alors dans les canaux étroits à peine éclairés, vous vous penchez sur l'eau, elle est tranquille et noire, elle ne vous renvoie pas votre visage.»

Pendant l'été 55, les rumeurs déjà insistantes depuis quelques mois prétendant que Françoise Sagan ne serait pas l'auteur de *Bonjour Tristesse* mais qu'il s'agissait bel et bien d'un texte écrit par un homme plus âgé qu'elle et qui aurait payé très cher son silence, éclatent en Allemagne. Le livre suit pourtant sa belle lancée à l'étranger et l'éditeur, Verlag Ullstein, est satisfait des premiers échos. Prévenant le scandale, René Julliard contre-attaque en demandant le témoignage de Colette Audry, lectrice de la première heure. Témoin privilégié du phénomène d'édition, elle déclarera à l'éditeur allemand le 30 août : « Je tiens à m'élever énergiquement contre l'allégation selon laquelle Françoise Sagan ne serait pas le véritable auteur du livre *Bonjour Tristesse*. Ma sœur, Jacqueline Audry, metteur en scène de cinéma, et moi sommes les deux premières personnes à qui Françoise, alors tout à fait inconnue, a communiqué son manuscrit afin que lui disions très amicalement notre opinion. C'est moi-même qui, après lecture, ai conseillé à Françoise de proposer son roman à M. René Julliard. Je suis donc moralement certaine qu'elle est bien l'auteur de ce livre. Il suffit par ailleurs de la connaître un peu pour être convaincu qu'un succès truqué, si grand fût-il, ne l'intéresserait pas le moins du monde. » La suspicion est pourtant tenace car en ce même mois d'août, Julliard lance une autre bombe éditoriale, un autre coup qui fera long feu celui-ci : la publication du recueil de poèmes d'une jeune enfant de huit ans, Minou Drouet…

Le jeune prodige écrit des poèmes, jugés « infantiles » par la critique qui se déchaîne, prétendant que sa mère est le véritable auteur du recueil. Cocteau lui-même intervient lâchant son mot terrible : « Tous les enfants sont poètes, sauf Minou Drouet. »

Mais qu'importe! Julliard tire les ficelles de cette affaire scandaleuse tout en s'entichant de la jeune poétesse au point de vouloir l'adopter. Loin de ces querelles et du brouhaha parisien, Sagan vit à Saint-Tropez sa vie lascive de dandy. Elle ne veut pas même entendre les rumeurs et les polémiques, liée à ce vertige de l'instinct auquel elle se livre pleinement, par goût, par défi secret, peut-être encore par désespoir de n'être finalement qu'une héroïne proustienne, une autre Madame de Sagan, qui ne se perdrait plus, cette fois-ci, dans les salons du faubourg Saint-Germain mais dans les hôtels de passe et les cabanons bien cachés au pied des corniches et où l'on danse avec fureur jusqu'à ce que l'aube se lève sur la côte. Par désespoir de ne pas être à coup sûr un autre Marcel Proust.

Mais elle s'accroche cependant à ce qui est pour elle vital au fond, écrire, et qui lui donne de surcroît cette liberté de vivre à son aise, sans souci, sans rendre de compte à personne, de dépenser son argent et ses forces vitales puisqu'il est vain et même vulgaire de retenir et d'économiser, de conserver et de posséder.

Dans « la comédie tropézienne » qu'elle se joue et qu'elle s'invente jusqu'à créer un mythe, elle vit au « rythme trépidant et blasé » d'une quête confusément menée, accablée d'une « lassitude suprême » logée au fin fond de son cœur et que les danses et les liaisons de passage ne parviennent pas à cacher. Elle cimente sans l'avoir voulu, cet été-là, sa légende, faite de légèreté et de douleur, de lucidité et d'idéal, de liberté et d'enfermement. Les critiques du deuxième roman en préparation, *Un certain sourire*, se feront plus acerbes devant l'imaginaire plat et pauvre en apparence des héros et des situations. Emmanuel Berl, dans *L'Express*, en mai 1956, résumera l'impression générale de la critique et que le public cependant contredira : «Elle reste assise sur un tout petit pliant pour regarder l'Histoire.»

L'Histoire en effet file à folle allure, précipite la France dans la guerre d'Algérie, dans une instabilité institutionnelle et politique sans précédent, tandis que, de la puritaine Amérique, viennent s'échouer des désirs d'émancipation, de libération sexuelle, de consommation. Au reste, Françoise Sagan ne se préoccupe pas du devenir sociologique du monde. Elle n'a pas l'impression d'être le porte-parole d'une contre-culture en marche, d'en être le modèle. Il y a une sorte d'égotisme en elle qui la fait échapper à tous les courants de mode, poreuse seulement à ce que lui souffle son instinct.

Il en a été de même lorsque Hélène Gordon-Lazareff, directrice du journal *Elle*, lui a demandé quelques mois à peine après la sortie de *Bonjour Tristesse* de partir en voyage pour en rapporter plusieurs croquis pris sur le vif. L'idée plut à Françoise Sagan qui se voyait un peu comme ces écrivains romantiques ramenant leurs impressions pour quelque gazette. Il s'agissait d'abord d'un périple en Italie, Naples, Capri, Venise et d'un second pour les numéros de fin d'année en Orient, Jérusalem, Beyrouth, Bagdad.

Sagan, qui est depuis plusieurs mois la coqueluche du Tout-Paris et en passe de devenir une star internationale, n'hésita pas une seconde pour jouer à « l'espiègle Lili », la reporter de cette bande dessinée de l'époque à laquelle arrivent mille aventures rocambolesques. Mais put-elle alors s'improviser tout de go grand reporter ? Elle voyagea à l'instinct, sans se préoccuper de son lectorat. Empruntée et maladroite, elle ne parvint pas à soutenir le rythme d'un vrai « papier ». Sagan n'est pas Saint-Exupéry en mission pour *L'Intransigeant* ou *France-Soir* en Espagne pendant la guerre civile, ou Camus relatant la misère de la Kabylie pour *Alger républicain*. Du reste Hélène Lazareff fut très déçue de ce que lui remit Sagan. Elle n'y retrouva ni la grâce ni la liberté de son premier roman, tout au plus une sage dissertation attendue, lyrique et scolaire, sur des lieux, certes de cartes postales. Sagan ne recula devant aucun poncif, décrivant une Venise de théâtre romantique, sans l'âpreté du ton que son cher Musset avait pu laisser transparaître dans *Lorenzaccio*, une Naples convenue où sévit une reine Jeanne, « voluptueuse et cruelle »...

On exploita bien entendu le filon vendeur de « la-benjamine-des-auteurs-à-succès-qui-n'avait-jamais-quitté-la-France », prétendant qu'elle « réalisait là sa vocation secrète : devenir globe-trotter ». Le titre de son roman fut repris à satiété : «Bonjour Capri», «Bonjour Venise», «Bonjour Naples».

Chaque semaine *Elle* publiait les impressions hâtives et maladroites de Françoise Sagan qui par moments retrouvait la plume fraîche, alerte ou mélancolique de son roman. Les petits riens qui tissaient cependant la trame de ses textes émaillaient à présent la sage description, et c'était là bien sûr qu'elle était la meilleure. Des impressions fugitives comme cette description de Naples sauvaient le récit : «Il y a un charme indescriptible qui fait que l'on aimerait avoir toujours vécu à Naples, habité une de ces maisons jaunes, tout escalier et balcon dehors ; quelque chose qui vous invite à vous asseoir au soleil, à voler des fruits, à parler des heures entières d'un incident mineur, quelque chose qui vous force à partir avant qu'il ne soit trop tard et que l'on soit obligé de [...] consacrer sa vie à y être heureux sans rien faire. »

Déjà toute la panoplie des grands motifs «saganesques» apparaissaient, dont elle serait prisonnière toute sa vie : la paresse, la liberté de ne rien faire, la nonchalance, l'ivresse et l'ennui mêlé des boîtes, «la vie dissolue et dilettante», le goût des pianistes de cabaret et des barmen de bar américain, «des chanteurs de café à la voix ivre, usée et violente» et qui chantent jusqu'à quatre heures du matin, comme celui qu'elle découvrit au Number Two, un café de Naples, qui s'appelait Hugo Schannon et ne faisait que chanter et jouer, tandis que sa femme, assise près

161

de lui, l'éventait! Ce qu'elle savait capturer, c'étaient ces petits détails croqués et à peine esquissés et qui déjà composaient à leur manière de singulières histoires, des départs de romans qui la faisaient vibrer, comme l'histoire du beau Tibère à Capri, venu y soigner «une mélancolie et une méchanceté incurables»... Toutes ces situations devenaient matière romanesque, et si la directrice de *Elle* n'y voyait guère de cette veine journalistique qu'elle recherchait, Sagan ne savait et ne saurait faire que cela, raconter de toutes petites séquences de vie à sa manière, fluide, cruelle, et douce tout à la fois.

En Orient, elle partit avec Philippe Charpentier, photographe de son métier mais surtout un de ses amants. Le voyage commandé est prétexte pour vivre cette bohême qu'elle affectionne et qui va devenir peu à peu son unique mode de vie : «Sagan est loin», écrit-elle à son amie, Véronique Campion. De fait, elle passa son temps à se baigner, à faire du ski nautique, à filer le parfait amour avec son photographe, à conduire à toute allure sur les routes sinueuses et scabreuses du Liban. «Nous faisons des photos de cèdres et d'ânes l'après-midi, et nous nous enivrons le soir, dansons, sillonnons les routes la nuit, comme toute jeunesse désabusée.»

Elle ne chercha pas à connaître davantage le pays qu'elle visitait, ni ses habitants ni son passé, prétendant avec la plus entière mauvaise foi le séjour bien trop bref. De même plus tard, justifiera-t-elle sa paresse à écrire et son style trop elliptique par le seul fait que l'alcool auquel elle s'adonne lui commande de toujours remettre l'écriture au lendemain !

Les reportages furent donc des échecs au plan strictement journalistique. Certes quelques observations furent parfois assez bien ressenties, le phrasé retrouva par instants celui de *Bonjour Tristesse*, mais rien qui fût percutant quand les villes visitées reflétaient des situations socio-politiques en pleine mutation. Le succès de Sagan est tel cependant que le magazine féminin accepte ses textes qui paraissent simultanément le 27 septembre, les 4 et 11 octobre et fin décembre 1954.

Relatant dans sa lettre à Véronique Campion ses vacances buissonnières, Sagan ajoutait encore : « C'est parfait. » Cette désinvolture trahit bien son caractère. Bâcler pour défier le temps, se démettre de toute contrainte, fût-elle acceptée par elle au départ, et dont elle se libère par cette sorte d'anarchisme absolu qui lui souffle à un certain moment de ne pas entrer dans le jeu du social. Voyager dans cette urgence de vivre, faire que tout soit, comme elle le dit à mi-voix en déambulant dans Venise, « léger et rapide ». Comme si elle pressentait de toute éternité que l'immortalité n'était qu'un vain mot et la jeunesse « si provisoire ».

Mais un an plus tard, Sagan n'est plus tout à fait la même. Le succès est trop lourd à porter, elle en jouit et ne pourrait plus s'en passer. Il agit sur elle comme une drogue qui l'éloigne des autres, l'isole même. Il stimule sa tendance à mentir, à se recouvrir d'une carapace qui lui permet de vivre comme elle l'entend. «Je n'avais qu'à courber le dos et attendre que ça passe», dira-t-elle bien des années après, revenant sur ses débuts. Mais le succès ne cesse pas, au contraire il enfle de manière si monstrueuse qu'il l'oblige à mentir davantage, à paraître docile, à jouer le jeu de ce qu'on lui demande. Au fond, cela l'amuserait presque, cette mascarade, cette disproportion entre ce qu'elle écrit, qu'elle juge si médiocre elle-même, et le bruit qu'on en fait dans le monde entier. Elle trouve bien commode cette comédie humaine que Balzac a si bien racontée dans *Les Illusions perdues*, elle se reconnaît en Rastignac et pourtant le succès accroît en elle le sentiment fiché depuis longtemps de l'injustice sociale, du malheur des hommes, de leur pauvreté et de leur détresse dont elle se sent très intimement proche. Mais elle garde une parcelle d'un secret qu'elle sait détenir et dont elle a la prescience, comme par grâce : «on ne se quitte jamais». Quoi qu'il advienne, il y a ce moi qui ne change pas, qui est le noyau dur de soi, qui ne peut pas se mettre à la place de l'autre, qui encombre tout l'ê-tre, interdit à toute générosité de s'accomplir pleine-ment, et qui vous laisse dans cette infinie solitude de clochard, de paumé, de drogué, d'alcoolique, de noc-tambule, de flambeur de casino, d'amant de passage.

Elle doit cependant accepter les contraintes de son succès, répondre aux journalistes, être reconnue dans la rue et se rendre pour l'heure aux États-Unis où l'invite son éditeur américain, Dutton. René Julliard encourage ce voyage afin qu'elle lève par sa seule présence et définitivement l'équivoque sur le « mystère Sagan » et la rumeur tenace selon laquelle elle ne serait pas l'auteur de ses livres. Entreprise qui la laverait enfin de tout soupçon. Sagan accepte quoiqu'elle n'aime pas particulièrement l'Amérique. *A priori* qu'elle confirmera dans la bouche de l'héroïne d'*Un certain sourire*. Mais, obéissante et sage petite « nièce » de « l'oncle » Julliard, elle se prépare studieusement au voyage. Quand elle évoque son départ dans *Avec mon meilleur souvenir*, elle déplore d'être un objet d'exhibition, ce qui la blesse plus que tout depuis l'immense tapage fait autour de *Bonjour Tristesse*. Elle se décrit à la troisième personne ou de manière impersonnelle, insistant sur le fait qu'elle obéit à des ordres anonymes et indéfinis : « L'on me dit d'aller en Amérique pour montrer ce charmant petit monstre… On m'embarqua dans un de ces gros avions balancés dans la nuit qu'étaient les Constellations de l'époque… On m'avait convaincue d'aller en Amérique… » etc. L'aspect promotionnel importe alors beaucoup à René Julliard, très en avance sur les techniques d'après-vente de ses publications.

En avril 1955, elle s'envole donc à destination d'Idlewild, l'aéroport de New York. À sa descente d'avion, elle est reçue comme une héroïne de *La Dolce Vita*. Hélène Lazareff et Guy Schoeller la « coachent », la directrice de *Elle* et l'éditeur d'Hachette ont le sentiment de la protéger du public de plus en plus nombreux pour apercevoir le petit « phénomène français ».

Si les journalistes ne trouvent pas en face d'eux une pulpeuse Anita Ekberg, ils découvrent une petite jeune fille au visage un peu chafouin, sagement habillée d'un tailleur, un petit foulard autour du cou, les cheveux courts et ondulés, tenant sa petite valise d'Air France comme elle porterait un sac dans un salon bourgeois, et se prêtant avec une gentillesse presque indifférente aux flashes des reporters, à l'assaut de leurs questions, un sourire figé aux lèvres. Ne sachant pas parler couramment l'anglais, Françoise Sagan répond aux questions les plus incongrues de façon «amène et neutre». Julliard l'installe à l'Hôtel Pierre où elle a l'impression de trouver refuge tant elle se sent dépassée par la folie de l'accueil. La rançon du «pactole», comme elle le dit, c'est cette agitation dont elle est sans cesse entourée et qui l'horrifie. Ce n'est que «foule autour de moi pendant un mois». Elle doit dîner, déjeuner, être toujours en représentation, honorer de sa présence des cocktails, des spectacles, des bals, des garden-parties, des dédicaces. Sa sœur Suzanne, qui est du voyage, joue quelquefois les doublures quand Françoise en a assez et court se cloîtrer dans sa chambre d'hôtel, comme lors du grand dîner de plusieurs centaines de couverts que le consul de France offre en son honneur. Excédée par tant de mondanités, Françoise Sagan file à l'anglaise, se glisse dans les couloirs du Waldorf-Astoria, fait appeler un taxi et rentre à son hôtel pour y goûter enfin cette paix des chats qu'elle retrouve avec un bonheur comparable à celui de l'ennui. L'ennui, cette «bête chaude et vivante».

Pendant ce temps, après son discours, le consul réclame des applaudissements pour la romancière, se retourne vers la chaise... vide de Françoise et demande à sa sœur d'inventer n'importe quoi pour expliquer son absence À son corps défendant, Suzanne obtempère et à peine a-t-elle commencé à parler que les applaudissements se déchaînent : toute l'assemblée croit applaudir Françoise Sagan !

Les jours suivants, elle les consacre aux journalistes, chacun en attend les plus pertinentes réponses, les phrases qui font mouche, de préférence sur la sexualité, la vie en couple, les rapports entre hommes et femmes, le rôle de la femme dans la société moderne. Il n'est guère question de littérature sauf pour lui demander ses goûts en matière de lecture, mais elle est aux yeux de tous «Mademoiselle Radiguet» ou mieux encore «Mademoiselle de Laclos», la fausse ingénue, la libertine que des ligues familiales en France attaquent et veulent poursuivre en justice. Elle a vingt ans et on la somme de répondre, en moraliste avertie, sur l'amour, le désir, la solitude, l'égoïsme. Elle fait front en élève très obéissante et docile. Quelquefois les réponses ont du piment et font le tour de New York. On s'extasie devant son esprit, très français, cet art de formuler une idée à l'emporte-pièce, elle est jugée la digne représentante des moralistes du Grand Siècle, et son art, mi-cynique mi-candide, de faire un bon mot fait recette. On rit avec indulgence et sympathie devant ses fautes grossières d'anglais, elle dédicace ses livres «with all my sympathies», ignorant que cela signifie «avec toutes mes condoléances», mais qu'importe, elle est la «petite Française de Paris», qu'on aime et qu'on adule! Guy Schoeller fait le joli cœur auprès d'elle. Il l'emmène dîner dans les plus pittoresques endroits de New York, danser dans les boîtes de nuit les plus à la mode, elle s'y déchaîne en mambos frénétiques, dansant jusqu'à l'aube, comme à Paris, finissant par trouver la nuit américaine très plaisante. Schoeller est-il déjà tombé amoureux de Sagan? Et elle, devine-t-elle intuitivement qu'il sera bientôt son mari, c'est-à-dire et selon sa propre exigence, celui qui lui fera connaître «l'écroulement» et contre quoi seul, elle pourrait accepter le mariage? Le mariage qu'elle définit, en un trait de génie au bal de charité «April in Paris», dont elle est la vedette incontestée (et où elle apparaît, fait rarissime, vêtue d'une robe de dentelle anglaise, digne d'une héroïne de Margaret Mitchell) «Le mariage, c'est quelquefois la fin des vacances.»

Devant tant de bruit et de curiosité, elle décide d'appeler à son secours sa meilleure amie, Florence Malraux, et lui demande de la rejoindre. Elle arrive par le premier avion et dès lors, elle se sent plus forte, plus sûre d'elle. On les voit ensemble faire les boutiques de New York, visiter Harlem, guidées par un des directeurs littéraires des éditions Dutton, découvrir la ville. Elle en fait et fera de multiples descriptions, parfois contradictoires, Babel infernale qui «écrase» le ciel et «se noie» dans son fleuve et en même temps, «mer et forêt», «ville éclatante» sous le soleil.

Est-ce parce qu'elle aime les *loosers*, les poètes de la nuit et les amoureux de l'errance qu'elle se retrouve en James Dean qui, un an et demi auparavant, s'est tué à bord de sa Porsche sur l'autostrade de Californie, alors qu'il roulait à 150 km à l'heure? «En voiture, je me sens une étoile» avouait alors la nouvelle star du cinéma américain. Comme Sagan qui aime les voitures parce qu'elles l'installent dans une situation mythique, qu'elles deviennent «les chars d'Hippolyte» ou les étoiles filantes la menant à son destin.

De James Dean, elle a toute l'impudence effrontée de qui se sent étonnamment libre ou du moins libéré des contraintes du monde, comme lui, elle aime ce jeu de la nuit, comme lui, elle a ce goût de l'imprudence, cette griserie qui fait qu'elle ne s'appartient plus, mais, la poitrine rivée au volant, se donne tout entière à l'ivresse d'une vie si proche de la mort, de l'origine, mieux encore et plus explicite, «revenue au sein maternel, à la solitude originelle». Comme tout le monde, elle a appris la mort foudroyante de James Dean et une part d'elle-même, secrète, envie cette mort ou du moins la comprend. Elle sait exactement comment ça s'est passé : à 8 km de Salinas, la route US 466 coupe l'autostrade 41. En face de James Dean, une Plymouth noire fonce vers lui. Pas le temps de freiner ou si peu, compter alors seulement sur l'autre pour éviter la collision, mais l'autre – le bolide, la nuit, la mort –, ne ralentit pas et James Dean meurt sur le coup.

Sagan aime ces belles morts, sublimes, puissantes comme des tragédies grecques, ce destin qui pèse sur chaque homme et contre lequel il ne peut lutter mais quel bonheur pourtant de le défier, de lui voler ces quelques secondes d'entière liberté!

Aussi, quand Tennessee Williams lui adresse un télégramme à la suite des interviews qu'elle a données un peu partout depuis qu'elle est arrivée aux États-Unis et dans lesquelles elle n'a cessé de dire toute son admiration pour le jeune poète et dramaturge, est-elle comme réconciliée avec cette vie folle qu'elle mène depuis quelques semaines ici. Tennessee Williams l'invite à venir le rencontrer en Floride. Sagan n'hésite pas un instant, flanquée de sa sœur et de son ami, Bruno Morel, elle s'envole pour Miami, y loue une voiture pour Key West et s'installe dans un hôtel « qui n'était pas flambant, un peu grisâtre ». Elle aime ces atmosphères délétères, ces lieux à peine détruits, qui suent la mélancolie malgré le soleil accablant, des lieux à la Hemingway ou à la Hitchcock, les routes blafardes de soleil ou de lune, des macadams qui ressemblent à des « dos de phoques luisants », des bars minables, des maisons de passe où l'on entend grincer de vieux microsillons derrière des portes délabrées, des tangos qui pleurent, des mambos rayés, des chambres aux rideaux fermés où « s'écroulent » des amants qui se connaissent à peine.

Rencontrer Tennessee Williams, c'est d'abord rencontrer l'un des meilleurs poètes américains, le meilleur dramaturge peut-être du moment, et aimer cette grâce un peu défaite, abandonnée, cette gaieté à laquelle se mêle tant de tristesse, cette enfance jamais perdue mais qui s'égare dans quelque chose de sauvage. C'est être dans la plus totale distance du monde, délié des autres, vivre poétiquement, côtoyer Rimbaud.

Quand elle se rend dans la petite maison de Duncan Street qu'il partage avec son amant, Franco, et Carson McCullers, infirme et si fragile, si petite, avec ses grands yeux qui s'étonnent toujours et cette affreuse tristesse qu'elle ne parvient pas à déloger de son regard, Françoise Sagan est d'emblée séduite. Elle sait qu'ils sont de sa famille, des siens. Mais plus tragiquement bohèmes que sa petite bande de Saint-Tropez, plus désespérés qu'Annabel, que Frank, que Magne. Plus fous peut-être aussi. Elle sait, malgré son extrême jeunesse, reconnaître en l'autre ce qu'elle lui réclame le plus souvent, la bonté, la gentillesse, la générosité. Tennessee Williams a tout cela en lui, et de plus, cette solitude qu'elle devine dans ses grands yeux bleus. Elle vit à Key West près de quinze jours. Vie naturelle, au bord de la mer, à déguster du poisson grillé sur la plage, à boire du gin, à pêcher de gros poissons dans des bateaux loués, à manger «des pique-nique infâmes». Mais quelque chose de l'enfance demeure dans ces rencontres, dans ces plaisirs de paumés et de «parias». Elle se sent infiniment solidaire de ce trio tragique et dérisoire qui offense l'*american way of life*, de cette petite bande de «rebuts» qui ne joue pas le jeu de la puissance et de l'argent, mais qui vit, en riant, sa détresse sous le soleil. «Nous ne nous disions rien de très profond», raconte Sagan, mais c'est comme s'il n'était plus besoin de parler, de convaincre, de polémiquer, mais seulement d'être dans cette totale disponibilité de l'amitié, dans ce qu'elle cherche toujours au fond, cette entente sans heurts, ce désir insulaire de n'être pas dans l'action, dans la vanité, dans l'ambition. Seulement être dans cette douceur de Tennessee Williams qui «hissait Carson McCullers dans ses bras jusqu'à sa chambre, qui l'installait comme un enfant sur son double oreiller, qui s'asseyait au pied de son lit et lui tenait la main jusqu'à ce qu'elle s'endorme, à cause de ses cauchemars».

Auprès de ces écrivains incomparables que le monde entier croit connaître, alors qu'il «ignore tout de leur être», Françoise Sagan éprouve une proximité, une affection secrète. Elle aime ces êtres détruits que ronge un inexprimable ennui, cette ambiance fanée, mortifère, et cette gaieté mêlée, leur peur et leur désir à la fois d'être seuls et différents, et cette mélancolique désespérance que chante avec sa voix de velours Billie Holiday dans des cabarets de troisième zone, accoudée au piano-bar, elle qui, le soir, après avoir chanté des blues comme une déesse, se fait battre par son amant et boit pour combler le malheur.

Et puis il y aurait encore Mozart avec sa gaieté qui sonne comme un clavecin, cette solitude qu'elle recherche, ce goût de la vie qui coule en elle et dont elle sent néanmoins l'épanchement prodigieux, inévitable et fuyant, et cette vanité de la vie qui trouve son accomplissement dans ces journées sans projet avec Carson McCullers et Tennessee, à tenter de retenir un

172

peu le temps. Car ce qui manque, comme dit Florence Malraux, c'est «le sentiment de la durée», qui fait défaut à toute cette génération, et qu'il faut bien chercher à retenir pour ne pas mourir. Ou bien se perdre.

Mais la légende se fait chaque jour plus tenace et lui colle à la peau. Quand les amis de Marguerite Duras s'appellent Maurice Blanchot, Louis-René des Forêts, Georges Bataille, Michel Leiris ou encore Henri Michaux, les siens s'appellent Jacques Chazot qu'elle finirait bien par épouser quoiqu'il soit ouvertement homosexuel, justement parce qu'il est singulier, drôle et «étranger» à l'Histoire, Marcel Achard, des photographes de mode, de grands reporters, des journalistes de la presse mondaine ou des écrivains qui ont la plume facile et «cavalière», mais qui jamais n'atteindront les vertiges de l'âme, préférant la désinvolture affichée comme art de vivre et l'allégresse du style comme seul viatique, le tout en se recommandant du parrainage de Stendhal! Quand l'Algérie bascule dans la guerre civile, quand Budapest se soulève, quand la crise du canal de Suez inquiète le monde entier, quand Diên-Biên-Phu enlise des milliers de combattants dans la boue et l'horreur, Sagan n'intervient pas pour prendre position. Son succès pourrait pourtant faire résonner sa voix mais elle est à Megève avec sa bande de copains, se dorant sur les solariums et descendant avec audace les pistes noires. Yvette Bessis, son attachée de presse chez Julliard, lui télégraphie pour l'informer d'un rendez-vous indiscutable : « Prière rentrer urgence Paris pour interview magazine *Life*. Journalistes spécialement déplacés, présence indispensable. »

Sagan ne se démonte pas. Sûre de sa « chance », de son impossible retour à l'anonymat, elle répond aussitôt : « Suis en vacances. Inutile de gagner de l'argent si impossible le dépenser. » La formule est piquante et heureuse. Elle fera le tour de Paris, reprise même par Julliard pour illustrer le caractère farouche et libre de son prodige. C'est son insolence et son sens des réparties qui, justement, vont être désormais mis en scène comme éléments de promotion. Françoise Sagan se moque de tout, son amoralisme et son sens de l'humour font flèche.

Tout au fond d'elle-même, elle sait à quelles exigences entraîne l'écriture, elle est sûre de sa dimension historiquement sacrée, mythique, et elle sait qu'elle n'en atteindra jamais que la surface, qu'elle en frôlera les rives, en soupçonnera les vertiges, les élans, les abîmes, mais elle n'est pas prête à sacrifier totalement sa vie, cette misérable existence de l'homme qu'elle gâche avec talent et use avec mépris et tendresse tout à la fois.

Le roman à venir cependant pousse lentement en elle, elle en a jeté déjà les prémisses, évalué la situation, fixé l'enjeu. Ce serait cette histoire mille fois connue et désespérée de l'ennui qu'il faut bien déjouer de toutes les manières. Il y aurait une héroïne et son amant, un jeune étudiant comme elle. Très vite elle lui préfèrerait son oncle, Luc, qui l'emmènerait sur la Côte d'Azur pendant une quinzaine de jours. Elle reviendrait ensuite à Paris, elle rencontrerait un autre étudiant qui la consolerait peut-être. De Luc, de l'amertume de la vie, de sa tristesse profondément enfouie mais dont les élancements retentiraient toujours en elle. Il y aurait Mozart qu'elle entendrait d'une fenêtre voisine, un andante de Mozart, «évoquant comme toujours l'aube, la mort, un certain sourire». C'est dans cette équation entre Rimbaud (l'aube) et Mozart (la mort et l'allégresse) que se jouerait donc sa vie, dans cette problématique douloureuse affrontée joyeusement. Le drame secret de Françoise Sagan, c'est cette énergie vitale farouche et violente qui sourd en elle, «ce violent sentiment de bonheur» qui clame en elle comme un aveu et qu'elle ne parvient pas à canaliser, à faire exister. Alors elle lui oppose l'indifférence aux choses, à l'Histoire, au quotidien. C'est une position qui est dans l'air du temps : Beckett, deux ans avant *Bonjour Tristesse,* écrit *En attendant Godot,* deux ans plus tard, il donne *Fin de partie* : l'envers exact de l'univers de Sagan, puisque au désespoir du monde reconnu, ses héros n'opposent plus que cette attente angoissée de fin du monde, cet univers d'apocalypse tragique. Sagan, elle, préfère l'apocalypse joyeuse. De toutes les passions dont elle est la cible, de toutes les rumeurs dont elle est victime, elle «se moque éperdument», dira-t-elle : «J'avais plein d'amis, des vrais et des faux... J'avais découvert une nouvelle Méditerranée, celle d'un Saint-Tropez désert qui possédait deux restaurants, un seul marchand de fripes, un de frites et un boulanger, plus le bar de La Ponche, refuge qui offrait trois chambres et une vue exquise sur le port. Le reste du village était à nous. » Le monde peut bien aller à sa perte, comme le prophétisera plus tard Duras dont Sagan a l'étrange et tenace détestation, comme si son engagement politique la culpabilisait, elle prétend n'avoir ni le talent ni la force de vouloir le changer. Tout au plus d'en retarder ou d'en ignorer la défaite dans la griserie des boîtes de nuit et dans les petits matins pâles quand les marins déversent de leurs cales la masse frétillante des poissons d'or…

Elle aime toujours conduire avec ivresse, s'amusant à des rodéos dans Paris, prenant la place Saint-Sulpice comme arène de jeu, son frère au volant de sa Jaguar, elle, au volant de sa Gordini, et, raconte-t-elle, se lançant l'un contre l'autre à plus de cent à l'heure, à trois heures du matin, pour « freiner au dernier moment » !

C'est justement pendant l'été 56 qu'elle décide de s'acheter cette fameuse Gordini pour laquelle elle demande plus de cinq millions de francs à René Julliard. Tout est si simple depuis un an, il suffit de se rendre dans sa maison d'édition et de réclamer quelques millions, en liquide de préférence, pour assouvir son désir immédiat, cet instinctif besoin qu'elle a de vivre jusqu'au bout ses passions ! Ce qu'elle veut, c'est tout, tout de suite. Cette Gordini dont elle raffole, une 3 litres à injection, il la lui faut dans l'heure. Elle se rend donc chez le constructeur même, boulevard Victor à Paris, veut « sa » voiture sur-le-champ pour repartir aussitôt à Saint-Tropez. Mais ce qu'elle oublie, c'est que ce genre de voiture se commande et que le concessionnaire ne peut la lui livrer que dans quelques mois. Sagan hésite, très contrariée, et devant son dépit, le constructeur propose de lui livrer, à Saint-Tropez, en attendant sa commande, une 2 litres. Elle accepte, mais son enthousiasme est déjà retombé. C'est toujours dans cette urgence qu'elle vit, dans ces précipitations de désirs, déchirée secrètement entre assouvissement et inassouvissement. De fait la Gordini arrive dans le petit port de pêche qu'elle affectionne tant, elle donne sa Jaguar à son frère, le bolide noir aux fauteuils de cuir écru, qui lui fait penser à ce vers de Baudelaire tiré de *La Mort des amants* : «Nous aurons des lits pleins d'odeurs légères, des divans profonds comme des tombeaux»... Ses voitures aussi ont cette proximité avec la mort, et cette douceur profonde, étrange dans laquelle elle aime se couler, et qui lui fait tout oublier des vanités de l'existence.

Durant ces années 54-56 où Sagan triomphe, s'étonnant elle-même de cet incroyable succès planétaire, les voitures et les jeux romantiques de l'amour et de toutes les ivresses, comblent ce qu'Alexandre Astruc, alors invité à Saint-Tropez, appela «la maladie de l'ennui». Ils sont, ces jeux trop faciles, des suppléances à l'angoisse. Sagan offre, la plupart du temps, «une apathie ennuyée», selon les mots d'Astruc, dédaignant presque son talent d'écrivain, trouvant vulgaire qu'il lui fasse accéder si vite à la gloire, à la fortune. Et en même temps, elle méprise ses propres accès de morale, s'engouffrant jusqu'au vertige dans le grand manège des noctambules, dans ces répétitives soirées dont elle n'apprécie pas forcément le bruit ni la musique, mais y trouvant une manière de s'échapper, de se fuir, d'écouler le temps.

Ce qu'elle aime par-dessus tout, c'est ne jamais rester au même endroit quand elle commence à en sentir le poids d'habitudes, de routine, d'indifférence. Alors elle fonce dans sa voiture et regagne Saint-Tropez où l'attendent ses amis, ceux qu'elle convoque et qu'elle gardera toujours près d'elle, Magne, Frank, Florence Malraux. Ce qu'elle aime au-delà de tout, c'est cette violence qui la prend soudain, de partir, de s'enfuir et de retrouver cette maison louée, s'y cacher ou s'y perdre. Bohême, elle le demeure en toutes choses. Elle ne prend pas la peine de mettre ses vêtements dans une quelconque valise, elle jette en vrac dans le coffre de sa voiture ses jeans, ses pull-overs, ses ballerines, ses talons aiguille aussi, ses carnets. Ce qu'elle aime, c'est connaître l'ivresse de descendre dans la nuit «le long sentier» de la Nationale 7. Traverser des villes et des villages endormis, s'arrêter dans un routier pour prendre un café, un grog, et savoir, secrètement, intimement, qu'elle va retrouver bientôt la douceur intime, presque maternelle, de Saint-Tropez.

Le roman qu'elle a presque achevé en mars 55, elle le retravaille pendant l'été sur la Côte. Elle ne sait pas faire autre chose que de raconter des «histoires simples». Celle-ci serait donc «l'histoire d'une femme qui a aimé un homme : il n'y avait pas de quoi faire des grimaces». Là encore, elle a voulu emprunter le titre à Paul Éluard : *Solitude aux hanches étroites* qui se transformera en *L'Amour de profil* pour devenir *Un certain sourire*, tiré d'une phrase qu'elle avait écrite dans cette désinvolture-là, dans cette syntaxe déliée, qui se livre avec une telle facilité, une telle indifférence.

Quand elle fit retaper le roman, elle décida de brûler le manuscrit, le jetant tout entier dans la cheminée, éprouvant comme une jouissance la volupté douloureuse de voir ses pages s'enflammer, se recroqueviller sur elles-mêmes, se noircir et se réduire en cendres. Quelque chose «d'émouvant», dit-elle, se passe alors, quelque chose de la vie et de la mort, de ces passages fluides, inconnus, qui s'évaporent, se dilapident, s'évadent et n'existent plus.

Elle se livre souvent ainsi à des actes «romantiques» et romanesques à la fois, comme si elle voulait par là suppléer la platitude volontaire de ses romans où glissent ses personnages, les situations, le temps qui passe, sans accrocs.

De son côté, René Julliard guette et surveille discrètement sa découverte. Il s'agit bien de refaire un succès, de ne pas rater le deuxième roman, d'être donc fidèle à ce climat de scandale que Sagan a déclenché sans le vouloir. Il sait qu'il ne doit pas, en tant qu'éditeur, se tromper, comme il dit, «plus de neuf fois sur dix et que ce dixième de réussite doit aussi suffire à assurer l'équilibre de sa maison.» Aussi attend-il Sagan au tournant parce qu'elle est justement «cet auteur sur dix» dont «la réussite exceptionnelle mais bien espérée rétablit en partie le budget général». La critique aussi attend Sagan qui sait qu'à la prochaine rentrée littéraire, elle sera «tirée comme un perdreau». Mais sa capacité d'indifférence est immense. Le succès de *Bonjour Tristesse* lui a donné cette liberté de se moquer de tout, de vivre en marge, de faire ce seul métier qu'elle aime et qui n'en est pas tout à fait un : écrivain, «le seul, avoue-t-elle, à *L'Express* en mars 1956, qui me paraît le plus désirable». Le seul encore qui lui procure «ce goût tyrannique» d'écrire, d'inventer des histoires, de sonder les caractères et en même temps du «dégoût» à cause de «l'usage que l'on en fait». L'exigence de Proust, toujours, qui rôde derrière elle, jamais atteinte…

Elle devine bien cependant que sa panoplie de motifs légers et en apparence inconsistants lui sera éternellement reprochée, qu'elle traînera cette légende qui se construit devant elle parfois, comme un boulet mais qu'elle acceptera toutefois parce qu'elle lui donnera d'être libre, de ne courir après aucune gloire, puisqu'elle aura eu, d'entrée de jeu, succès et argent. Elle en porte intimement ombrage, sachant que les critiques seront toujours les mêmes, dures et ironiques ou bien trop flatteuses pour être honnêtes. Elle ne sera jamais que la petite nièce grondée par ses grands-oncles…

Mais elle ne sait écrire que cela, ces histoires plates qui démontent quelques situations psychologiques, décrites sur un ton inimitable de désinvolture et de douceur. Elle ne cherche pas, comme elle le dit aux journalistes, à délivrer de message. «Ma littérature n'excède pas ses prétentions»…

Cet intérêt qu'on porte à sa vie privée l'épuise, elle s'en remet à ses avocats, voulant se délivrer une fois pour toutes de toute entreprise de justification. Mais elle est rattrapée sans cesse par ses excès et ses désirs fantasques. Elle porte sur elle à cette époque une gravité au-delà de l'apparente fantaisie de son existence, comme un fardeau. Elle ignore alors «l'enthousiasme»; sombre et fuyante, elle ne sait pas, selon ses mots, «prendre sa vie». C'est pourquoi elle se réfugie dans l'écriture, même aux jours de folie de Saint-Tropez, échappant un temps au dilettantisme de sa bande. Car écrire, dit-elle, c'est vouloir atteindre «un but passionnel et inaccessible». C'est «le seul signe actif que j'existe». Écrire, c'est donc échapper à la mort.

Elle apprend alors à oublier le phénomène qu'elle est devenue. Elle se sait comme condamnée à cette légende avec laquelle il lui faudra bien vivre, seule condition de sa vie dispendieuse. Qu'importe d'être «une surface d'intérêt» sur laquelle le monde viendra s'épancher, se délecter, assouvir ses passions! Elle portera sa légende, dit-elle, «comme une voilette»…

En mars 1956, Julliard publie *Un certain sourire*. L'éditeur est confiant et rassuré après la lecture du roman. Il est dans la lignée du premier, scandaleux par le fond, classique par la forme. Il sera donc un succès. René Julliard ne cherche même pas à faire retravailler certaines pages, à exprimer quelques critiques. La souplesse de la langue de Sagan, la fluidité presque naturelle de ses histoires, tout «passe» ainsi, dans une sorte d'évidence, de la langue, de l'histoire, du succès. Sagan plus tard le reconnaîtra en laissant tomber à ce sujet quelques mots secs et définitifs : «Ça marchait comme ça.» Elle affine ses qualités majeures d'analyste de l'âme humaine, mais elle sait que le livre sera lu, comme le dit un critique, à l'ombre «des fusils». Elle conserve néanmoins en ce printemps de tous les dangers un air calme, presque placide. Ce qu'elle appellera son «flegme», bien décidée à «opposer au destin», dans ce jeu de l'existence, de la dissimulation, du mensonge et de l'être jalousement enfoui pour soi et ses proches, «un visage souriant, voire affable». Elle devient maîtresse dans cet art du «divertissement», s'y plongeant avec délices, presque avec provocation, et en en sachant toutes les vanités, se comportant comme une adversaire de Pascal, Pascal qui veillerait toutefois à sa porte, et elle en entendrait la sourde rumeur, et le frémissement d'un autre monde qui la fait douter. Sinon, pourquoi aimer Mozart? Et Brahms?

Entre *Bonjour Tristesse* et *Un certain sourire*, du temps a passé, Françoise Quoirez est devenue Françoise Sagan, il a fallu s'adapter à cette nouvelle identité, à cette «chance» dont elle mesure la vibration et la vivacité. Bientôt s'essaiera aux jeux du casino, dans quelques mois à peine, lorsqu'elle aura vingt et un ans. Elle ira tenter cette chance par défi le jour même de son anniversaire, le 21 juin 1956. Au jeu promotionnel de son roman, «le charmant petit monstre» connaît ses réponses par cœur, elle se prête à toutes les questions des journalistes, affecte son look. Elle reçoit en jupe et chandail un journaliste de *L'Express* venu l'interviewer : «on n'est jamais très sûr, dit-il, que ce ne soit pas toujours le même»! Elle lui apparaît «toute fragile» et cependant «pleine de force». C'est qu'elle porte en elle cette sorte de férocité de vie, ce désir de vivre qui vient de l'ennui, cette lassitude devant une société qui répète les mêmes gestes d'avant-guerre et qu'elle, Sagan, trahit sans engagement militant d'aucune sorte, par la fureur de vivre. «La petite mouture», selon le mot un peu cruel de Mauriac, pourtant singulièrement indulgent envers Sagan, fonctionne cependant très bien. Le roman proclame encore une fois la soif de liberté, le refus des fidélités inutiles, le goût des aventures, avec ironie et naïveté tout à la fois. C'est sûrement ce mélange qui plaît, ces tonalités contrastées dans lesquelles se reconnaissent ses lecteurs. Plutôt ses lectrices d'ailleurs, comme si Françoise Sagan illustrait l'émancipation de la condition féminine, donnait aux femmes le courage et l'audace d'être libres de leur corps, et d'en jouir comme elles l'entendent. En même temps dans *Un certain sourire*, si l'héroïne balaie d'un revers de main, un beau matin, dans un sourire, et grâce à un air de Mozart encourageant et revivifiant, l'amertume des amours rompues, la romancière reste dans un affranchissement modéré de sa liberté, sa langue rassure les lecteurs et un roman de Sagan ne se cache pas dans les rayons inavouables des bibliothèques bourgeoises. *Un certain sourire* n'est pas *Histoire d'O.* Les ventes s'emballent aussi pour ces raisons-là…

En mettant son roman sous le signe de Roger Vailland, par l'épigraphe qui donne le ton, Françoise Sagan s'inscrit dans une famille d'écrivains ironistes et «hussards». L'elliptique et désarmante définition que donne Vailland de l'amour, proche en définitive de celle de Stendhal : «L'amour, c'est ce qui se passe entre deux personnes qui s'aiment», fournit à son tour toute la matière romanesque de Sagan. Ses romans traiteront de ce passage-là de l'amour dans le temps, que ce passage soit fugace ou épais. Rien d'étonnant à ce qu'elle aime Vailland qui refuse toutes les formes de contraintes, cherche avant tout à se libérer, fait son destin au lieu de le subir, se sent proche de Stendhal et de Laclos et écrit dans un style sec et concis. Rien d'étonnant non plus à ce qu'elle lise avec ferveur Nimier, dans lequel elle retrouve les mêmes postures d'indifférence, de désinvolture, de solitude et de quête d'innocence devant la vanité d'un monde. En sourdine, Sagan reprend les thèmes et motifs de ses grands contemporains, auxquels elle ne parvient pas à emprunter néanmoins leur dimension tragique, laissant ses personnages dans une faiblesse plus nerveuse, plus «en allée», comme dirait Marguerite Duras.

Comme pour *Bonjour Tristesse,* la critique se partage en deux clans bien distincts, mais ceux qui comptent, et que Sagan elle-même consentira à citer plus tard avec plaisir, Henriot, Kempf, Rousseaux, Kanters, la comparent de nouveau à Raymond Radiguet, à Benjamin Constant. *Le Diable au corps* pour le sujet scandaleux et *Adolphe* pour ses qualités d'analyse. «C'est mademoiselle Radiguet, proclame Henriot, Françoise Sagan a gagné la partie. Nous n'avons qu'à rendre les armes devant sa maîtrise.» Le tirage, déjà élevé au lancement du livre, va atteindre très vite près du demi-million d'exemplaires. L'étranger en a acheté les droits sans même le lire, les États-Unis en ont tiré d'emblée cent cinquante mille exemplaires tandis que le cinéma américain s'empare du sujet avec délectation : la Fox en réserve les droits et Daryl Zanuck paie cent cinquante mille dollars sans hésiter. On ne sait rien de l'histoire ou très peu, mais Sagan est devenue un objet commercial qui la laisse toutefois indifférente, et elle vit cette situation avec un détachement presque surprenant.

Elle apparaît dans son rôle professionnel d'auteur à succès, de «starlette du roman», avec le même visage paisible, un peu taciturne et «misfit» seulement avec sa bande, quand il s'agit de dilapider tous ces millions dont elle n'a que faire pour l'heure et qui satisfont dans le plus radical jeu dandy ses désirs immédiats, son goût de tout brûler et de flamber. Elle achète une autre voiture, une Aston-Martin, tout en gardant sa Gordini, s'offre un appartement rue de Grenelle, tout en habitant toujours chez ses parents. Elle subit le lancement d'*Un certain sourire* avec une distance qui conforte son image d'enfant désabusée. Elle ne se laisse pas prendre au jeu de la facilité et du succès. Elle «se moque éperdument» des critiques et continue d'écrire et de noircir de petits carnets en prévision de son prochain roman, comme si elle ne pouvait pas faire de pause, prise dans une frénésie d'écrire qui la talonnerait. Elle garde une certaine sympathie pour ces critiques presque sexagénaires qui la défendent, selon ses mots, «machinalement» et se trouve involontairement et contre toute logique, à cause de ce «goût tyrannique pour la littérature», reliée à eux. Elle expliquera très bien ce que signifie l'acte d'écrire qu'elle ne peut pour l'instant formuler réellement par sa jeunesse et la soudaineté de son succès. C'est, dira-t-elle, «se jeter à l'assaut de "rien", du blanc papier que notre imagination nous propose sans cesse». Toujours recluse dans sa chambre du boulevard Malesherbes ou de la rue de Grenelle, elle s'exclut du monde dont tous croient au contraire qu'elle s'y jette avec un plaisir pervers, et invente une nouvelle histoire, rien que des histoires de ménage à trois, rien que des situations bourgeoises, rien que du Bernstein finalement mais revisité par un imaginaire déçu et blasé d'un écrivain de presque vingt ans, une soif inouïe de vivre et une lassitude de vivre tout à la fois. Rue de Grenelle, dans le nouvel appartement en duplex qu'elle partage avec son frère, elle vit une existence à la Cocteau qui d'ailleurs rôde déjà dans son univers, puisqu'elle louera bientôt à Christian Dior le moulin du Coudray, à Milly-la-Forêt, où vit déjà le poète. Le succès ne la déstabilise pas, la vraie vie est ailleurs, comme dit le poète Rimbaud qu'elle aime depuis l'adolescence pour son anarchisme, sa quête éperdue de liberté. Vivre avec son frère, c'est retrouver quelque chose de l'enfance à jamais perdue. Entre Sagan et Jacques Quoirez, un lien particulier les attache et les fait vivre poétiquement.

À cette époque commencent à se calquer l'une sur l'autre la réalité et la légende. La vie courante va coïncider avec des événements que le succès impromptu provoque ou que l'on croit provoqués comme des signes d'un destin qui lui échappe et qu'elle subit. La complicité qui relie le frère et la sœur conforte ainsi la légende romantique de Sagan, cette fascination de l'enfance jamais oubliée qui, de Chateaubriand à Musset, de Goethe à Byron, n'a cessé de hanter l'imaginaire des poètes romantiques. Avec Jacques Quoirez, elle se livre à tous les défis, ceux de la vitesse notamment, qu'elle provoque, comme pour défier la mort mais aussi pour le plaisir, simplement et seulement. Il y a ce bonheur particulier de partir à l'aube «promener leurs petits coucous, notamment une Gordini de course légèrement déglinguée, sur l'autoroute où le bruit, le vent, les secousses dégrisaient celui de nous deux qui en avait besoin».

Sagan vit cette période dans un bonheur jamais retrouvé. Intense époque traversée de fantaisies enfantines, de nuits blanches, d'ivresses et de vitesse, de soirées et de cocktails mondains fréquentés à reculons et qui font de la romancière la coqueluche du Tout-Paris qu'elle ignore cependant et ne cherche guère à fréquenter. Elle apparaît comme un ludion, un lutin, un feu follet, aimant les farces de potache et accablée cependant d'un vrai désarroi intérieur qu'elle comble en le provoquant. Ses yeux sont toujours de chien battu mais quelquefois animés d'une malice, d'une ironie qui désarme, décille et démasque. La moraliste perce derrière la noctambule. L'argent coule à flots, la vie matérielle n'est plus un souci, il n'y a qu'à griffonner sur ces petits carnets des situations nouvelles, des histoires d'amour et de mort, de vie donc, pour meubler l'existence, déjouer le désespoir. Pour défier, comme le note assez justement à son propos un journaliste de *Paris-Match*, cet «embarras à vieillir».

Avec son frère, comme un double, elle vit cette vie foutraque et fantasque qu'elle aime tant chez Musset, la dilapidation sociale et la nécessité secrète, inévitable, d'écrire. Son dédain de l'argent est une manière de se défaire de ses attaches sociales, et la vitesse est une façon de «parier entre la chance pure et soi-même». Elle compare le «grisant» bonheur de conduire vite à «un andante», «mouvement lent, majestueux, sorte de plage où l'on parvient au-dessus d'une certaine vitesse, et où la voiture ne se débat plus, n'accélère plus, et où, tout au contraire, elle se laisse aller, en même temps que le corps, à une sorte de vertige éveillé, attentif». Avec son frère, elle connaît ce qu'elle appelle les «instants de bonheur» que sont ces heures à rouler de nuit sur de vides autoroutes, calée dans sa «pirogue de fer» et se laissant porter par le courant. Une autre manière d'entrer dans «le poème de la mer» évoqué par le bateau ivre de Rimbaud qu'elle aime à citer, et qui, amarres lâchées, va, dans l'ivresse, vers «le confus bonheur de mourir». Vivre dans les excès est encore une manière violente et sauvage d'entrer dans ce mystère du monde qu'elle veut secrètement appréhender. L'amour «sororal» est intense, «j'aurais sacrifié pour mon frère n'importe quel homme et lui n'importe quelle femme». Avec lui, elle se souvient de l'enfance exquise, de cette liberté qui régnait dans la famille, des jeux délicieux (un adjectif qu'elle affectionne particulièrement) dans le grand couloir du boulevard Malesherbes. Le frère est le garant de cette histoire passée, témoin et acteur vivant, il est le rempart contre le temps et la mort, celui grâce auquel le temps et la mémoire ne peuvent s'altérer.

Quoiqu'elle prétende fréquemment dans des interviews que sa vie n'est pas forcément la matière de ses livres, une grande partie de ce qu'elle appelle sa «panoplie» de motifs, appartient bien à son imaginaire. Le mélancolique fantasme de l'union entre frère et sœur court comme un fil distendu dans ses romans pour éclater de manière triomphale et évidente dans la première pièce de théâtre qu'elle fera jouer en 1959, *Château en Suède*. Le charme secret et poétique qui unit Éléonore à Sébastien est tiré intuitivement de sa relation avec Jacques Quoirez. «J'aurais l'air très amoureux de toi, dit le héros à sa sœur. On nous regarderait d'un air trouble. "Vous savez, c'est Éléonore von Milhem, celle qui a ruiné ce pauvre Cliquot.

Avec son frère. Il paraît qu'ils sont ensemble, ça se fait peut-être en Suède… Et patati et patata…"

Éléonore : On rirait beaucoup… On chercherait un visage, je te conseillerais une jeune femme, tu ferais le dégoûté. Je regarderais pensivement un homme parfois…

Sébastien : Et puis on irait danser… Il y aurait plein de musique et des profils éperdus, et des sourires échangés. J'adore Paris.

Éléonore : Et à l'aube, on rentrerait. À deux ou à quatre. Jusqu'au dernier moment, on leur laisserait espérer une petite orgie. »

Le rôle du conditionnel est ici particulièrement significatif, il désigne un avenir que les héros, reclus dans leur bulle, imaginent comme éventuel et parfaitement réalisable, ils construisent une fiction qui les fait étrangers à la société, et dont ils s'échappent par le scandale ou le voyage, la vitesse ou l'alcool.

« On serait merveilleusement heureux », dit encore Éléonore pour conclure ce dialogue à la Musset. Le bonheur s'acquiert dans le désastre des sentiments, dans leur confusion, dans les jeux dangereux, dans le refus de toute contrainte, dans le pur plaisir des fêtes.

Elle passe alors son temps entre Megève qui devient un de ses quartiers généraux, Paris où elle fait la connaissance de Régine, la barmaid du Whisky à Gogo, si drôle, si attachante et dont elle deviendra aussitôt l'amie et « la sœur », et Saint-Tropez auquel elle reste toujours très attachée quoiqu'elle en craigne très vite la perte et l'envahissement par des touristes sans scrupules. Sa bande, c'est sa seconde famille, choisie au hasard des rencontres, auxquelles elle est très fidèle et qui lui sont indispensables pour vivre ce qui, finalement, est une sorte d'errance joyeuse, un peu déchirante, comme la fureur de James Dean dans laquelle elle se retrouve.

L'atmosphère en France, dans ces années 56-58, est délétère, pourrie par la guerre d'Algérie qui ne s'avoue pas comme telle, mais risque néanmoins de déraper dans la guerre civile. Le terrorisme fait rage et Françoise Sagan vit à cette époque ses premiers engagements. Elle les assume comme elle est, dans une légèreté et une passion secrète, sans ostentation, sans militantisme outrancier et tapageur. « C'est la première fois, dit-elle, où je me suis intéressée vraiment à la politique. » C'est précisément à cause des événements algériens qu'elle se découvre de gauche, mais d'une gauche « instinctive », presque utopique, en tout cas mythique et idéale. Elle situe son engagement de manière très simple, presque manichéenne : « Il y a deux positions, dit-elle, face à la misère. « Il y a ceux qui disent : la misère existe, mais c'est inéluctable, pour moi ça fait des gens de droite. Il y a ceux qui disent : la misère existe, et c'est insupportable, et ça fait des gens de gauche. La misère, ça m'a toujours été insupportable comme idée. »

Mais sa vie, fantasque et brouillonne du moins en apparence, sa vie de noctambule, d'enfant terrible et gâtée, la place sans cesse dans une situation ambiguë par rapport aux engagements plus militants du groupe de la rue Saint-Benoît, ceux qui gravitent autour de Marguerite Duras, à l'époque véritable pasionaria, Mascolo, Antelme, Morin ou encore ceux du groupe de Sartre. Son entourage la dessert dans cette cause où pourtant elle s'engage à sa façon, libre et déliée, prenant partie pour les poseurs de bombes, aidant des militants FLN, les hébergeant, transmettant des informations. La liberté même de son esprit – ce côté paradoxal de «hussard» de gauche qu'elle affiche et sa jeunesse – sa fortune dépensée sans retenue sont considérées comme autant d'obstacles sinon d'injures à cette pauvreté qu'elle défend pourtant et à la libération d'un peuple outragé et méprisé. Elle gardera toujours cette image de fêtarde vivant dans un monde où ne peuvent cohabiter certains de ses amis, Jacques Chazot par exemple, et les écrivains intellectuallisants des éditions de Minuit.

Le succès est cependant de nouveau au rendez-vous dès la fin du mois de mars 1956, le verdict des lecteurs est sans appel pour les Cassandre qui prophétisaient la déliquescence d'un talent à peine né. Sagan confirme son coup d'essai, avec toujours autour d'elle cette rumeur, vendeuse, de scandale, de libertinage et d'amoralisme.

Le 21 juin 1956, elle atteint enfin à la majorité civile. Elle l'a déjà assumée par sa fortune, par son souci de vivre comme elle l'entend, mais quelque chose lui manquait encore qu'elle ne peut conquérir qu'avec elle. Comme d'habitude, c'est le jour de l'été.

Jour de fête et de gaieté, comme elle aime en vivre, dans une légèreté dont elle est la reine et l'enfant gâtée. Les amis l'entourent à Saint-Tropez, la soirée commence à L'Esquinade. Dans la cave, Alexandre Astruc, Annabel, Marcel Achard, et tous ceux qui font partie de la bande sont là, pièce montée, immense, champagne, whisky, tout est à profusion, et la musique qu'elle aime, les mambos, les rocks. La fête se poursuit jusqu'à l'aube dans la petite cité heureuse, s'achève dans les bistrots de pêcheurs, dans ces lueurs à peine blafardes du jour qui se lève et qu'elle affectionnait déjà tant, adolescente, parce qu'elles ont quelque chose de neuf et de fané, de naissant et de mélancolique.

Cette nuit-là cependant, il y a quelque chose d'inaugural, d'infernal et de sublime, de violent et de désirable qui s'est passé. Comme elle le raconte, avec sa bande, elle commence la tournée des grands ducs. Ils écument toutes les boîtes de la Côte jusqu'à Cannes. «D'un pas décidé», dit-elle, elle entre au Palm Beach pour jouer. «Il y avait une grande table de chemin de fer, j'ai navigué entre elle et la roulette. [...] Pour jouer au chemin de fer, il faut avoir une grosse somme devant soi. À la roulette, on peut durer une heure, avec beaucoup moins d'argent. Et gagner à la roulette, l'argent qu'on va jouer au chemin de fer.» Sur place, flanquée de deux parrains, elle apprend les règles rudimentaires. Elle apprend vite, très vite même. D'abord à la roulette où elle gagne un peu, puis au chemin de fer où elle accède enfin, voisine des gros clients, Zanuck, Hennessy… Elle s'initie surtout à l'art de dissimuler, d'avancer masquée, l'art subtil de l'indifférence feinte et jouée. Elle apprend du jeu ce qui sera désormais sa posture publique habituelle, cette sorte de distance boudeuse et ennuyée qui l'éloigne de toute contrainte, l'isole des «entraves tentaculaires» de la société et lui fait oublier «le sablier du temps». Le jeu, le temps. L'univers proustien est encore à l'œuvre. En découvrant l'univers feutré et cellulaire des salles de casino, Françoise Sagan confirme que tout est provisoire et aléatoire car au jeu, tout peut se perdre, les fortunes les plus colossales sont mises justement *en jeu* comme on dit *en péril* ou *en danger*, dans une sorte de défi et de plaisir que frôle un goût secret pour la mort. Le jeu ôte au joueur toute crainte de posséder puisque sans cesse ce qui est gagné est redonné, rendu au vertige de la table qui est alors comme un gouffre, «un courant qui passe» autour d'elle. Le jeu fait l'argent dérisoire et transitoire, une abstraction qui va et vient, circule et renforce le sentiment de la vanité et du passage. C'est pourquoi elle l'aime avec cette soudaine passion : il lui donne ce sentiment abyssal de tout parier, sur un chiffre, deux cartes, d'éprouver la jouissance du «grand saut».

La part obscure de Françoise Sagan lui est encore illisible en ces premières années de succès si subit. Mais elle en devine la réverbération et la trace. Confusément, elle aime la vie, sa violence et tous les accélérateurs l'intéressent : l'alcool, la vitesse, les

194

amours de passage. Mais même au fond de toute cette perte, il y a la profonde nostalgie de l'enfance déliée de soi. Et quand un journaliste l'accule dans ses retranchements, l'oblige à tomber «la voilette», elle répond dans un souffle, sans hésitation, mais avec sa diction rapide, comme on lâche un aveu à contre-cœur : «Je voudrais avoir dix ans ; je voudrais ne pas être adulte. Voilà.»

Elle aime les excès, parce qu'ils lui donnent la possibilité de reculer le temps, «le vieil ennemi». Ce qu'il faut, c'est ne pas «oublier la vie», mais la porter «plus loin». Les expédients qui forment sa panoplie ne sont pas des anesthésiants mais des ressorts qui exaltent davantage encore la vie, de sorte qu'elle accède sans la formuler à une esthétique lyrique de l'existence. La fameuse «légende Sagan» qui s'est établie si vite et qui l'a marquée d'un sceau indélébile au point que ses propres livres sont relégués au second plan, devient peu à peu une méthode existentielle où se perdre (et perdre), c'est se trouver ou tenter de se trouver, où l'excès est une manière d'accomplir sa vie. Son goût pour la vitesse, la mer et minuit, comme elle le dit dans un brusque raccourci, revient à «se colleter avec soi-même» et par là, à se découvrir et se ressentir pleinement dans le monde. Elle aime, dit-elle encore, «tout ce qui est noir», tout ce qui perd. Le désir romantique du «soleil noir» nervalien n'est pas très loin, au contraire, il est appel, force vitale, pulsion dynamique. Le public découvre une jeune fille fragile, à la santé précaire, à la timidité maladive qui va obli-

ger son regard à biaiser, à rarement regarder son interlocuteur, non par crainte d'être déjouée ou démas-
quée d'on ne sait quel mensonge, mais par une certaine pudeur, une jeune fille qui est terrorisée devant
la foule ou devant des questions incongrues qu'on
peut lui poser, et en même temps, ressent la force
qu'elle détient en elle, et cette forme du courage de
provoquer la gloire, de la mépriser.

Ce goût intime de la fête qu'elle porte comme une
croix derrière elle et dont elle va peu à peu s'accom-
moder parce que, dit-elle, «les masques sont délicieux», elle en connaît les rites secrets et les signes
obscurs. C'est frôler entre sacré et sacrilège, être toujours sur cette ligne funambule qui soutient et peut
faire sombrer. «La fête ne se fait pas avec des plumes
dans une boîte de nuit, elle se fait dans le noir avec
quelqu'un.» L'histoire qu'elle joue et entretient est
bien plus complexe qu'elle ne peut le paraître, elle
ouvre sur des enjeux de vie, des façons de «comprendre un tout petit peu, oh!, je dis bien un tout petit
peu, ce que c'est la vie. En tout cas, la mienne».

Elle s'habitue une bonne fois pour toutes dans ces
années d'apprentissage à accepter l'image qu'on construit d'elle. Matthieu Galey, le critique littéraire très
influent d'*Arts,* le confirme : «Mme Sagan aura beau
s'expliquer, se confier, se démasquer, se déshabiller, ce
sera peine perdue, puisque les interviewers continueront à lui poser des questions sur ses revenus, ses tirages, sa bande, ses moyens de locomotion et à parler du
"phénomène Sagan qui la dépasse" avec une découra-

geante fidélité au cliché. » Elle traîne encore cette image en 2001 : devant comparaître devant la justice, toujours pour des problèmes d'argent et de non-déclaration de revenus au fisc, elle inspire cette réaction à une journaliste du *Figaro* : « Sa vie, elle l'a prodiguée, tant et tant, que sa réputation, trop vite, a surpassé ses romans. On ne savait plus si elle était écrivain ou personnage en quête d'auteur. »

Elle s'habitue donc à ce qu'elle appelle « le grisou de la gloire », cette rumeur qui rôde sans cesse autour d'elle et qu'elle finit par ne plus voir. Son caractère bohème s'accentue, elle aime l'errance parce qu'il est une façon de s'abolir, de ne pas s'arrêter au monde qu'elle trouve « hypocrite et médiocre ». Elle est un de ces héros d'Anouilh qu'elle aime tant comme auteur dramatique pour sa légèreté, sa désinvolture et son élégance, un « voyageur sans bagages ». « On va de voiture en voiture », dit-elle en évoquant l'époque folle où elle vit avec son frère, aujourd'hui à la mer, demain à la montagne, selon son humeur et ses caprices, et dans cette précarité d'existence, sans lien ni attache, « on est très heureux ». Ce que les lecteurs aiment chez elle, c'est cette capacité de tout quitter, leur indulgence vient de son souci de liberté et de l'incomparable jeunesse qui l'habite.

Il y a encore sa disponibilité aux choses qui viennent et dont cette liberté se nourrit, la mesure d'une quête qui n'a pas d'ambition démesurée et orgueilleuse, mais qui laisse des béances, des espaces à creuser et à combler, la chance d'une rencontre, d'une table de jeu où soudain tout se réduit, se sentir au cœur de l'aube, seule et debout : « Je cherche, mais sans espoir de trouver. Peut-être sans aucune envie. La vie me plaît comme ça. Il me plaît qu'il y ait une part insatisfaite, et qui appelle. »

Dès son retour des États-Unis, au printemps 1955, Françoise Sagan fut finalement enchantée de l'Amérique, de New York. Elle n'a qu'une hâte, y retourner, jouir de cette liberté qui traverse la grande métropole, respirer à pleins poumons « cette ville de plein air, coupée au cordeau, venteuse et saine [...] et qui vibre nuit et jour sous des coups de vents marins ». Elle décide de s'y rendre de nouveau en octobre 1956. Le 23, précisément, elle s'envole pour New York et s'installe encore une fois à l'hôtel Pierre. Accompagnée de l'extravagant musicien Michel Magne, elle n'a qu'une idée en tête, rencontrer Billie Holiday, « la Callas » du jazz. Apprenant qu'elle chante dans un cabaret du Connecticut, elle y va séance tenante, avec cette passion instinctive pour les rencontres magiques avec des êtres « étrangers » au business, au paraître, à toutes les mondanités qu'elle hait par-dessus tout et auxquelles sa maison d'édition lui recommande pourtant de s'obliger. Ce qu'elle aime, ce sont les êtres monstrueux, immenses comme Orson Welles, dont elle fera bientôt la connaissance éblouie, des êtres aussi bien fragiles que forts, Carson McCullers par exemple, infirme, mais dont la poétique intelligence la traverse et lui donne de mieux comprendre la vie, la mort, le temps qui passe. Billie Holiday entre dans cette catégorie d'êtres exceptionnels. Dans le cabaret minable où elle chante, tournent et chavirent cependant des « galaxies ». La vie soudain bascule vers des paysages inouïs. Interdite de chanter en public à New York pour usage de drogue, Billie Holiday informe cependant Sagan qu'elle donne un récital pour quelques initiés clandestins, presque à l'aube, dans un cabaret pour Blancs : ce sont alors quinze nuits, « quinze aubes » plutôt, précise Sagan, pour se perdre ou se noyer dans la voix sublime de la chanteuse, ivre et désespérée, tragique et cocasse à la fois, et dont elle devient immédiatement l'amie. « La fête sacrée et sacrilège » qu'elle aime est bien là, dans cette vaste boîte de nuit désertée de ses clients habituels, et livrée au chant de « la Diva », à l'histoire secrète et nocturne des Noirs, des esclaves, de toutes les solitudes, celles des femmes trompées ou dominées par leur amour, celles des errances dans les ports et des orages…

Billie Holiday lui fait connaître cet « écroulement » qu'elle recherche dans l'amour, elle peut à peine marcher le jour, arpente en titubant les avenues de New York, « zombie » dans une ville qui se résume soudain dans le halo blafard de cette scène de fortune, auprès du piano, noir comme un tombeau, d'où s'élève le chant. Les situations où elle peut, comme elle l'avoue, « se colleter avec les extrêmes de soi-même », sont les seules qui permettent à l'écriture de se trouver. Ne pas être dans ce qui est déjà acquis mais être ouverte aux choses inattendues, indéchiffrables, qui font advenir. C'est pourquoi les goûts de Sagan peuvent être interprétés de différentes manières. Ne voir en elle que la fêtarde est une approche partielle, peut-être même fausse. Le divertissement ici est existentiel et métaphysique, il n'est pas conceptualisable, pas théorisable, pas explicité, mais confusément ressenti comme une nécessité intérieure, une manière d'approfondir la nuit des choses. À New York, chaque nuit passée auprès de Billie Holiday est une manière de pénétrer dans un inconnu parce que «le temps de nuit, c'est une mer étale. Cela n'en finit pas». Il faut donc entrer dans ce «navire night», comme le nommera Marguerite Duras, pour rejoindre des secrets, trouver des clés aux attentes, aux absences et aux manques. Elle aime l'insécurité des nuits et des aubes à peine levées, encore toutes embuées de brume, et satisfaire cette envie profonde, inépuisable des excès.

À l'instigation de Florence Malraux qui lui suggère d'écrire quelques pages sur New York pour une filiale de Gallimard, les éditions Tel, elle demande à son éditeur de bien vouloir lui donner l'autorisation de publier ce texte qui, dit-elle, sera très court : cinq à six pages au plus. René Julliard accepte et, contre mauvaise fortune, fait le grand seigneur. Tel envisage donc de publier un album de photographies qui serait précédé des pages de Sagan. Mais lorsque Julliard apprend que la publicité du livre se fait sur le slogan : «Françoise Sagan vous raconte New York», il décide d'intervenir auprès de Gaston Gallimard. «Je ne veux pas insister, écrit-il, pour que vous fassiez suspendre la vente de l'album. Mais je vous demande de veiller à ce que toute la publicité soit établie avec le seul mot "préface" et, qu'à la plus prochaine réimpression de l'album lui-même et surtout du couvre-livre le mot "texte" disparaisse et soit remplacé par le mot "préface" ». Sagan, de son côté, décrit la ville sur son mode habituel de romancière : style ramassé et bref, vues biaisées, paysages et climats inattendus. Au début, Sagan se livre à une description scolaire et très stéréotypée de New York et puis, au fur et à mesure des pages, un détail croqué sur le vif, livre tout le style et la matière de «l'univers Sagan» : «Une nuque frappée de mélancolie» dans une salle de bal de Harlem, «le sang qui bat trop vite aux poignets» des habitants, ces «profils perdus… dans les nuits étirées» de la ville… Elle est revenue de son voyage «fascinée», et elle peint New York avec cette perception impressionniste et musicale, comme on écrirait une fugue musicale, comme un saxophone qui se coulerait, de sa voix de velours, dans les rues, les longues avenues, vers les gratte-ciel et les ponts. En quelques mots, elle dit le mot juste, avec cet art du paradoxe qu'elle sait bien manier : «New York sent l'ozone, le néon, la mer et le goudron frais.» Le court récit qu'elle fait de la ville est irrégulier et maladroitement mené. Il finit cependant mieux qu'il ne commence.

Ce que Sagan «voit», c'est ce que les autres chroniqueurs de New York ne perçoivent pas. Avec une perception rare pour une si jeune femme, elle trahit l'âme de la ville, la traverse et lui arrache ses secrets un à un, en quelques pages, écrites en gros caractères d'imprimerie : New York, à l'aube, son heure préférée, les gratte-ciel ont l'air de «diplodocus assoupis, mauves et gris, attendant leur pâture», les hommes, les voitures, solitaires éternels et impassibles, prisonniers du «rêve de pierre».

L'album, dont la publication est prévue pour les fêtes de fin d'année 1956, est cependant le premier accroc entre elle et son éditeur. Forte de son succès, elle assume ce que Julliard inconsciemment prend pour une petite infidélité, une certaine trahison. Mais les intérêts qui les relient sont trop importants pour que son éditeur lui porte trop longtemps ombrage, d'autant que René Julliard sait qu'elle travaille à son troisième roman et qu'il ne s'agit pas de gripper, par susceptibilité, la machine à succès.

Dessous «la voilette», Sagan la romancière, Sagan l'écrivain continue son travail contre le temps, en retient les souvenirs, accomplit cependant ce long travail de mémoire qui fut la tâche inlassable de son modèle, Marcel Proust. Elle, qu'on dit condamnée à sa légende, raffolant des jeux les plus dangereux, se livrant avec son frère à des rodéos nocturnes sur leurs bolides, conduisant pieds nus, comme le prétendait son ami Paul Giannoli, et «faisant corps avec sa voiture», n'a jamais tant aimé que les grands mystiques de la littérature, les monomaniaques, les exilés, les fous et les solitaires, tous «en état de rupture» et qui s'adonnent à l'écriture pour trouver les mots les plus justes et atteindre à l'intelligence du monde. Écrire malgré toutes les sollicitations du «divertissement» reste à ses yeux ce qui est le plus intense et le plus apte à «retrouver des vérités enfouies» en soi, «la seule vérification qu'elle ait d'elle-même».

Aussi garde-t-elle toujours des plages de solitude pour poursuivre ce but «passionnel et inaccessible», remplir des pages blanches, les noircir de mots et de ratures, tandis que tout autour la vie continue sa roue infernale, et se lancer dans ce qui sera son troisième roman dont elle amène toujours avec elle, les ébauches, contenues dans de petits calepins, esquisses, croquis, bribes de dialogues qui vont devenir une histoire. Les grandes figures de la littérature française continuent de veiller son travail, Éluard, auquel elle emprunta le titre de ses deux premiers romans, Stendhal, pour «l'allure cavalière», rapide et élégante, pour l'éclat de ses héros, leur intelligence brillante et complexe, Racine enfin, pour la musique de ses vers, pour l'exil de ses personnages :

«Dans un mois, dans un an, comment souffrirons-nous,
   Seigneur, que tant de mers me séparent de vous,
   Que le jour recommence et que le jour finisse
   Sans que jamais Titus puisse voir Bérénice?»

Toutefois les excès qu'elle aime tant la lassent mais elle y succombe sporadiquement, familière de rythmes abruptement contrastés, fêtes folles et nuits ascétiques, s'y jetant et cherchant à respirer l'air des causses, ne pouvant vivre sans sa bande d'amis et de pique-assiettes, aspirant à se retrouver seule dans son lit, un chat contre son épaule, écoutant Schubert ou Mozart. Elle écrit, pour ces raisons-là, la même histoire, celle que Mauriac, avec une infinie tendresse et une grande voyance, a su percevoir. À sa conscience morale qui s'étonne de tant d'indulgence pour sa part et avec laquelle il aime à dialoguer dans son *Bloc-Notes*, il rétorque qu'elle possède «l'art de se faire entendre sans forcer la voix, et même à voix basse. Il y a loin d'un style pauvre à cette phrase presque transparente». C'est qu'au travers, on y sent, rajoute-t-il, «la pulsation d'une vie... L'âme, quoi!»

«La petite sorcière qui se rend chaque soir à son sabbat sur son manche à balai d'or massif», comme la décrit avec perfidie Mauriac dans un article où il s'affronte à sa conscience, explore en fait méthodiquement les ressorts complexes de l'âme humaine. Le prochain roman affirme ce que, déjà, *Bonjour Tristesse* laissait entrevoir : il se nommera *Dans un mois dans un an*, souvenir d'un hémistiche de *Bérénice*, et sera le roman désabusé et mélancolique du temps qui échappe, de l'amour et de la vieillesse, de l'irréparable fuite de l'amour et de l'éternel exil.

C'est qu'elle connaît, malgré son extrême jeunesse, les ravages de la passion et la quête donjuanesque de «l'écroulement», la valse des amants de passage, l'amère et voluptueuse saveur des maisons de passe, et la France entière qui voit en elle une émule des héros de Laclos ne peut deviner sa recherche obscure, secrète. Car l'amour et son immédiat et nécessaire corollaire, l'érotisme, ressemblent pour elle à une cérémonie sacrée qui ne se délivre pas si facilement. La «messe» qui s'y joue «est noire et rouge, quelque chose plutôt de rouge, noir et or, quelque chose de lyrique». L'exhibition n'est pas son fait. Il y a chez elle cette pudeur que trahissent et affirment ses héros, et cette vraie histoire de l'amour qui l'émeut et qu'elle traque, «l'abandon, la défaite, ce visage parfaitement nu qu'on ne peut maîtriser dans le plaisir». La quête de sincérité et d'authenticité, la volonté farouche de ne jamais simuler sont ses plus fortes qualités, celles qui lui font quitter ceux qu'elle a cru aimer, et qui, un jour, brusquement, ne la déçoivent pas mais lui révèlent que tout a changé, que l'échange n'existe plus, et qu'alors «il faut filer» pour ne pas mourir.

Elle aime des hommes comme Michel Magne, Bruno Morel, Lestienne et bien d'autres encore parce qu'elle croit que l'amour a cette faculté de renouveler les êtres, de les éblouir et de les rendre beaux, et elle les quitte parce que rien n'est plus volatil que l'amour et que l'ennui s'insinue trop vite pour accepter de rester. Que le mot de Proust commentant l'amour du narrateur pour Albertine est juste à ses yeux : «Il ressentit auprès d'Albertine cette gêne, ce besoin de quelque chose de plus qui ôte, auprès de l'être qu'on aime, la sensation d'aimer»! Il ne reste plus alors que vivre le passage, au bout duquel elle devine déjà la solitude, le vaniteux besoin de poursuivre la course, connaître comme «le poulain, à l'aube, dans la forêt, (hume) l'air malin», le plaisir extrême de séduire et de plaire, de croire (ou de feindre de croire) à l'éternel amour et puis le sentiment toujours plus accru de la solitude. La certitude inéluctable.

Elle éprouve le sentiment de l'invulnérabilité, tout ce tourbillon de succès, de chances, de facilités, depuis la parution de *Bonjour Tristesse* finit par la rendre indifférente, hors du monde, exclue de lui, elle ne sait plus comment, prise dans un vertige qui n'a plus de sens. Après le premier roman, il y eut le second et puis à présent le troisième et rien ne change vraiment dans son statut de romancière et de femme libre. Ses livres sont toujours des phénomènes de librairie, la bande d'amis finit par être ennuyeuse, mais comment s'en séparer, puisqu'elle est son rempart contre la solitude totale et les sorties, les fêtes, les jeux de toutes sortes, et il y aura encore la critique toujours divisée en deux clans bien distincts, les « oncles » bienveillants et ceux qui l'assassinent pour proclamer que ce n'est rien, une petite mélodie qui respire à peine, et des amours de bourgeoise qui s'ennuie, des personnages sans épaisseur, qui s'éclipsent et prennent même définitivement congé sans qu'on s'en inquiète, etc.

Délaissant la Côte ou bien Paris, elle aime se réfugier à Milly-la-Forêt dans ce moulin que lui loue Christian Dior, vaste et mélancolique, où elle vit dans cette communion avec la nature qu'elle a toujours affectionnée. Elle vit ainsi, de façon souvent dichotomique, lancée dans le monde et sa fureur, et retirée de tout, cherchant un contact sensuel avec les animaux, les forêts, les feux de bois, les soirées douces à lire, à ne rien faire, à écouter de la musique, à parler interminablement avec Véronique, l'amie fidèle. Mais le refuge n'est pas seulement bucolique, il est aussi sentimental. «Sur Guy Schoeller, je n'en dirai pas beaucoup plus, confie-t-elle dans *Derrière l'épaule*… Notre rencontre aura été sur certains points comme un violoncelle à l'arrière-plan de ma vie, qu'il dirigea complètement et longuement, sans trop bien le savoir.» Depuis quelque temps déjà, Sagan sent qu'elle ne conduit même plus vraiment son existence. Que des signes extérieurs à elle coïncident avec sa propre vie, comme des marques du destin. Que cette sacro-sainte liberté dont elle s'est faite l'exigeante souveraine, elle ne la maîtrise plus. Le charme, la séduction de Guy Schoeller exercent sur elle une fascination, une attraction qu'elle sent irrésistibles et auxquelles elle veut cependant encore résister. «Pour y échapper, je partis me réfugier à Milly-la-Forêt»…

La mystérieuse nature de la forêt de Fontainebleau est propice à sa retraite. Elle y retrouve des attraits de l'enfance, des traces embuées de Cajarc. Ce qu'elle partage, dit-elle, avec Proust et Rousseau, ce sentiment profond de la nature, des choses authentiques, qui ont l'épaisseur millénaire du temps, et auprès desquelles elle puise des forces vitales. Autre visage de Françoise Sagan, ce goût de la terre qu'elle a de commun en même temps que celui de l'écriture avec sa grande aînée, Colette, et qui la refonde et la nourrit.

L'hiver est solitaire à Milly, et la nuit tombe très tôt, vers cinq heures. Écrire est une tâche obscure et secrète. Des notes de musique, des fugues de Bach et des andante graves et doux de Schubert, des lieder de Mahler, déchirants et profonds à la fois se mêlent aux craquements des bûches dans la cheminée. «Je viens de la terre, dit-elle, j'aime l'air, j'ai besoin d'air, d'herbe […], j'aime les rivières, l'odeur de la terre.»

Elle aime aussi les maisons, vieilles de préférence, pour y «jeter l'ancre». Au juste, l'ancre de quel fardeau? Quelquefois, l'âme pèse, et la solitude, et la douleur du temps qui passe. Les maisons retiennent l'odeur ancienne du passé, elles aiment les chats, les chiens et les ânes dans les prés tout à côté. Sagan a toujours l'impression de l'écoulement sans fin du temps, elle est de ces êtres auxquels tout «échappe», qui ne savent pas «retenir». C'est peut-être là sa grande différence avec Colette dont la sensualité prend à pleines mains la vie, la nature, les bêtes et les fruits. Quelque chose retient Sagan, un manque, une ferveur peut-être, une jubilation impossible d'autant plus douloureusement vécue qu'elle en soupçonne l'épaisseur. Comment atteindre à la fusion de Rousseau dans la nature, aux vertiges de Proust longeant les haies d'églantiers?

Mais l'ennui taraude toujours, même dans le moulin luxueusement aménagé par le grand couturier et qui, quelquefois, donne à Sagan l'impression d'un grand lieu vide, exilé et perdu dans la solitude obscure des bois alentours. «Il faisait froid, raconte-t-elle. Les soirées étaient longues, je m'ennuyais un peu. Je menais la vie d'une châtelaine d'un autre siècle. Pour me distraire, j'ai écrit une joyeuse histoire d'enfermés...» Ainsi va naître *Château en Suède* qui sera en 1959 un véritable triomphe.

Sagan a achevé *Dans un mois dans un an*, elle y a fait les dernières corrections mais ne s'est jamais encore vraiment essayé au théâtre sinon dans sa jeunesse avec ces quelques saynètes de théâtre historique, un peu grandiloquentes et mélodramatiques qu'elle affectionnait tant et, lisait à sa mère, indulgente, à grands renforts de répliques pathétiques.

En 1954 déjà, elle a esquissé quelques répliques de ce qui n'était pas encore tout à fait une pièce, répliques écrites à sa façon, un peu brouillonne, dans un style elliptique. C'était lors d'un séjour qu'elle faisait avec Florence Malraux et Bernard Frank, dans la maison du Bugey de François Michel, à Montaplan. Elle s'en souvient dans un ouvrage, *Réponses* : «La maison était sombre, vaste, isolée, à plusieurs étages. Elle ressemblait à un bunker.» C'est Bernard Frank qui est à l'origine de l'ébauche de pièce. Il raconta «l'histoire d'un jeune homme, d'un fier-à-bras qui, placé dans certaines circonstances, s'était métamorphosé en un amoureux transi, en un pleutre». La pièce, si l'on peut dire, en était restée là. Mais c'était compter sans le destin. Jacques Brenner, le critique d'art administrateur de la revue *Cahiers des Saisons,* lui demande un texte en 1957. Elle se souvient de ces quelques scènes écrites quatre ans plus tôt et les lui confie. Brenner bien sûr accepte avec joie, compte tenu de la célébrité de Sagan qui, quoi qu'elle écrive, connaît le succès. Elle porte chance aux éditeurs, les assure d'un succès immédiat, fait doubler les ventes des magazines. Sagan qui a bon cœur, qui aime aider ses amis et les aventures un peu surprenantes, accepte même de participer avec Brenner à la promotion des *Cahiers des Saisons*. Elle participera ainsi à des rencontres avec le public dans quelques villes de province, se risquant à lire, elle qui possède si peu le talent oratoire, un manifeste pour la revue... Ce ne sera qu'en 1959 que Michel Barsacq lira par hasard le texte inachevé de Sagan. Aussitôt, flairant sans doute un succès, la contactera, lui demandant de continuer à écrire la pièce, l'aidant de ses conseils. Sagan acceptera avec enthousiasme, découvrant le monde du théâtre avec délectation, s'émerveillant d'entendre ses mots, ses phrases prononcés sur une scène, prendre ainsi mille destinations qu'elle n'avait pas prévues. Ce qui séduisit Barsacq, bien qu'il trouvât que la pièce «manquait de colonne vertébrale», ce fut surtout son style, à la fois fluide et grave, lent et mélancolique, et soudain cet art de la pointe qui brille comme un éclair au détour d'une réplique et qui fait alors penser à Alfred de Musset ou encore à Tourgueniev. Mais, pendant cet hiver 1957, Sagan n'est pas encore l'auteur dramatique qui triomphera sur tant de grandes scènes parisiennes.

C'est la fin de l'hiver. En avril, Sagan est toujours au moulin. Elle y a résidé plusieurs mois, le lieu, le charme de la propriété lui plaisent, surtout après le temps qu'elle a passé dans une autre maison qu'on lui avait prêtée, juste à côté de Milly aussi. Mais le confort et l'élégance de la décoration dont Christian Dior a entouré sa demeure n'ont rien à voir avec la précarité bohême de la maison du Vaudoué. Sagan cependant vit ici ou là dans la même parfaite indifférence, prisant le luxe de manière désinvolte. Les maisons louées sont des havres de paix, des îlots où elle aime à se blottir et à se couper du monde extérieur, des sortes d'appropriations précaires qui conviennent bien à sa nature sauvage, irrésolue et fantasque. Des lieux de nostalgie et de liberté, qui donnent la sensation infinie de la disponibilité, comme des métaphores du passage de la vie, avec ses souvenirs déposés, abandonnés et puis oubliés. Mais le moulin de Milly est plus que cela encore, il est le lieu d'une retraite incertaine, d'une décision à prendre : ce coup de foudre trop longtemps contenu pour Guy Schoeller et qui presse maintenant de se dire et de s'avouer. C'est ici qu'elle acceptera de se marier avec lui, après mille hésitations.

Par un étrange hasard, elle a invité, ce dimanche 14 avril, son ex-chevalier servant, Voldemar Lestienne qui, quelque peu dépité, avait quitté le moulin depuis plusieurs mois déjà lorsqu'elle lui avait dit ses intentions d'épouser Guy Schoeller, Bernard Frank qui, lui non plus, n'a pas revu Sagan depuis un certain temps et qui, sortant d'une cure de désintoxication, est venu, à son invitation, pour se reposer au moulin.

Ce dimanche donc, Sagan invite aussi Jules Dassin

et sa femme, la comédienne Melina Mercouri. Mais ils sont en retard à cause d'un pneu crevé. Dassin prévient Sagan qui décide d'aller à leur rencontre, flanquée de Véronique Campion, de Bernard Frank et de Voldemar Lestienne. Elle prend son Aston Martin, et fonce sur la route de Milly. Très vite elle croise les Dassin. Tous s'arrêtent sur le bas-côté de la route, puis repartent vers le moulin. À bord de l'Aston Martin, les amis de Sagan la charrient : «Ta voiture roule comme un veau». Sagan est piquée au vif, elle appuie sur l'accélérateur, comme elle sait le faire, avec souplesse, épousant l'élan de la voiture, sentant monter en elle ce plaisir immense de la vitesse qui «aplatit les platanes au long des routes, allonge et distord les lettres lumineuses des postes à essence», cette violence sensuelle qui se bat avec les côtes, les faux plats, les virages inattendus, «cette boîte de fer» qui colle au sol, semble décoller et revenir tranquillement sur sa voie. Elle double la 203 Peugeot des Dassin, en riant, à 150 km à l'heure. Mais dans la courbe, la voiture a flotté. Sagan ne la contrôle plus, elle zigzague à droite puis à gauche de la route, jusqu'à un fossé où elle dévale. «Ça a été, dit l'un des survivants au journaliste de *Paris-Match*, Jean Ferran, un accident très silencieux, presque doux mais qui s'est passé très vite. Simplement quand on a senti la voiture bouger, on s'est arrêté de rire et de bavarder. »

Du petit fossé, la voiture culbute dans un champ de blé. L'arrière du véhicule retourné est comme planté dans le champ. Derrière, les Dassin, ont suivi, horrifiés, la trajectoire. Melina Mercouri hurle et invoque, racontera Sagan, Hadès, le dieu des Enfers, tandis que Jules Dassin tente maladroitement de faire un bouche à bouche à Sagan que les policiers, alertés par un témoin, ont mis plus d'une demi-heure à extraire de sa place. On la croit morte, son teint est verdâtre, elle a le visage ensanglanté, la langue pend hors de sa bouche, recouverte «d'une mousse rosâtre», on l'emporte sur une civière avec Lestienne qui est, des trois autres passagers, le plus atteint. Bernard Frank s'en sort avec un bras cassé et Véronique Campion avec le bassin fracturé. Au moulin, cependant, Jacques Quoirez est étonné de ne voir revenir personne, il prend la Jaguar que sa sœur lui a donnée et part à son tour à leur rencontre. Arrivant vers les lieux de l'accident, il reconnaît dans le tas de tôles froissées qui gît, abandonné dans le champ, l'Aston Martin de Françoise Sagan et se rue vers l'hôpital. Il l'y découvre, agonisante, au point que le prêtre aumônier lui donne l'extrême-onction, ironique clin d'œil du ciel que Sagan ne manque pas de raconter avec malice et humour : «À moi les Anges radieux…» dira-t-elle.

Jacques Quoirez décide d'emmener sa sœur à la clinique de Neuilly où un de ses amis chirurgiens accepte de s'en occuper. L'ambulance fonce à son tour vers Paris, escortée par des motards. L'amour de Jacques Quoirez pour sa sœur est infini, comme celui de Françoise pour son frère : «J'aimais mon frère, avoue-t-elle, c'est peut-être pour lui que je choisis de vivre, dans l'ambulance, lorsque mon cœur, après un temps d'arrêt, se remit en marche. »

Aussitôt la nouvelle apprise, c'est un véritable branle-bas dans les rédactions de presse. L'accident fait la une de tous les journaux, de toutes les radios, la presse internationale relaie la nouvelle et se lamente. Aucun médecin ne se prononce sur l'état de santé de la romancière mais les bulletins sont plutôt pessimistes. L'émoi est considérable dans tout le pays. Les observateurs mesurent la célébrité de la romancière et sont même stupéfaits de la sympathie qu'elle provoque auprès de tous, y compris de ceux qui la dénigraient. Dans la voiture brisée, on découvre son manuscrit, maculé de sang et d'huile. Ce qui est encore intitulé *Les Paupières mortes,* comme un signe prémonitoire, est son troisième roman, écrit pendant l'hiver au moulin, et qui doit sortir à la rentrée de septembre. René Julliard est effondré, il s'est attaché à la libre allure de sa découverte, et s'est aussi habitué avec elle aux succès. Devant la clinique, c'est une noria de voitures, de journalistes, de livreurs de fleurs, de postiers, de télégraphistes, d'anonymes qui viennent déposer comme devant une chapelle ardente des bouquets de fleurs, des messages d'amitié, et même des objets de piété pour la protéger ! Guy Schoeller, très tôt averti de l'accident, rejoint Jacques Quoirez à la clinique. Il passe la nuit auprès d'elle, qui est inconsciente, fait la promesse de l'épouser si jamais elle en réchappe.

Nuit et jour, Jacques Quoirez veille sa sœur, il dort à ses côtés sur une chaise longue ou dans sa Jaguar. Le chien Popof, un berger allemand, monte la garde, surveille les visiteurs qui entrent dans la clinique Maillot. Sur son lit, Françoise Sagan est couchée sur le dos, immobilisée, le visage entouré de bandes Velpeau, elle ressemble indifféremment à une momie, à une carmélite ou bien encore à un cadavre dont on aurait entouré le visage d'une mentonnière. On rapporte qu'elle a demandé le lendemain de son accident un miroir, on a hésité mais devant son insistance, on lui en a donné un. Rien ne peut se lire sur son visage contusionné et blafard, mais Françoise réclame du jambon, comme si elle avait décidé d'opter pour la vie, de résister totalement, s'inquiétant d'abord de savoir si elle n'a tué personne, et farouche, comme elle le fut toujours, jure de s'en sortir.

L'énorme retentissement médiatique s'étend jusqu'aux États-Unis où l'accident est relaté en première page de tous les quotidiens, supplantant les évènements politiques les plus importants du moment. Ce qui intéresse décidément la rumeur publique, c'est encore une fois le personnage de Sagan, devenue une héroïne de faits divers, traquée jusque dans sa chambre de malade. Le parfum de scandale qui flotte autour d'elle trouve son sillage naturel dans l'accident qui scelle à jamais sa légende faite d'alcool, de drogue, de fêtes, d'amants, de liberté. Plus que jamais, on l'assimile à James Dean qui embrassait les phares de la Porsche avec laquelle il se tuerait bientôt. Le mal du siècle est invoqué, l'ennui, la déception douloureuse d'une société inapte à l'émerveillement, à l'imagination. L'accident devient prétexte pour les journalistes à disserter sur le devenir du monde et du progrès, Hourdin, dans *Le Monde*, dénonce une société qui ne sait pas accueillir sa jeunesse et la livre aux jeux faciles et suicidaires du libertinage, de la vitesse et de la mort. Jean Ferran, dans *Paris-Match,* y va lui aussi de sa tirade de moraliste : «En se retournant, écrit-il [les jeunes] voient les décombres du typhon de 1940 et de celui de 1944. Le décalage augmente sans cesse entre ce monde qu'ils découvrent et celui qu'ils feront un jour. Ils sont condamnés à attendre, ne sachant plus à quels saints se vouer, sinon à ceux qui pèsent si lourd dans les balances touristiques : Saint-Tropez et Saint-Germain-des-Prés. »

Le débat devient sociologique, on disserte sur cette lassitude qui s'est emparée de la nouvelle génération, on a beau s'inquiéter des « tricheurs » que Carné va filmer, s'indigner devant «l'infernale» Bardot qui se déhanche dans *Et Dieu créa la femme*, on ne peut que constater le désenchantement d'une jeunesse qui n'a plus de pilotis sur lesquels se construire. «Cette voiture retournée dans un champ n'est qu'un signe», dit-on, du désastre. Plus que jamais, Françoise Sagan, alitée, entre la vie et la mort, devient l'icône de la modernité, la victime et la consommatrice sans illusion d'une société dont elle n'épouse aucune des causes et en jouirait cependant par dérision, par ennui. Plus tard, lorsqu'elle rencontrera, pendant sa période nocturne chez Régine et chez Castel, Manouche, dont la vie errante et bohême va fasciner ses lecteurs, elle confiera au *Figaro Littéraire*, en juillet 1972, qu'elle aurait bien aimé vivre certaines de ses aventures, parce que «vivre en marge est assez amusant. En marge et en opposition à une société organisée, aussi ennuyeuse que la nôtre».

L'accident qui aurait pu lui être fatal sert encore de campagne de presse contre les excès de vitesse. La Préfecture de police en profite pour dénoncer les chauffards du dimanche, les abus d'alcool au sortir des boîtes de nuit, les samedis, etc. Sagan devient une sorte de «produit commercial» *made in France*. Qu'on la déteste ou qu'on l'admire, elle est la Française par excellence, espiègle et enjôleuse, rebelle et vive, douce et violente, très titi parisien, gouailleuse qui n'a pas sa langue dans sa poche, faisant plein de bêtises qu'on lui pardonne aussitôt. Tous les corps de métiers éprouvent de la compassion pour elle, des routiers aux agents de police, des ménagères aux étudiants, des bourgeois aux concierges, elle est quelque chose de la France. Ses minces romans n'en sont pas seulement la cause, elle le sait, et en conviendrait même, elle dont la lucidité frôle le cynisme : n'aurait-elle donc que du savoir-faire, un certain talent?

Très entourée de sa famille qui apprend l'accident fortuitement, en lisant la presse, Sagan n'est pas cependant tirée d'affaire. Si elle recouvre toutes ses facultés intellectuelles, et sa mémoire qu'elle avait partiellement perdue lors du choc, elle est atteinte d'une polynévrite qui va la faire effroyablement souffrir. Elle ne sait pas encore si elle récupèrera l'usage de ses membres inférieurs et marche péniblement, assistée et munie de cannes et de déambulateurs. L'expérience de la solitude, dont elle a déjà bu l'amer et secret breuvage depuis son enfance, est à présent à l'œuvre. Elle qui a tant recherché le bonheur en privilégiant les moments de gaieté comme des traces d'innocence perdue, se voit démunie, lâchée toute seule dans la précarité de la vie, le corps atteint, c'est la chance qui disparaît, la vulnérabilité sans limite, c'est découvrir qu'elle ne pourra plus jamais avoir cette forme d'insolence de vivre, cette faculté d'en jouir quand elle le veut, presque impudemment.

Miraculée et même absoute (!), quand elle quitte la clinique de Neuilly, elle sait que son calvaire n'est pas fini. Sa polynévrite lui provoque des douleurs intolérables dans tout le corps, embrase tous ses nerfs, l'empêche de marcher sans hurler, elle va commencer sa longue convalescence à Beauvallon, sur la Côte d'Azur, dans une villa que lui prête un de ses amis industriels. Flanquée d'Annabel qui lui sert de garde-malade, lentement, et parce qu'elle est douée d'une formidable force de vie qui lui donne l'énergie de lutter, elle tente de surmonter son mal. Annabel est la plus attentive des amies, elle l'aide à marcher, à adoucir sa douleur par des compresses, mais la seule chose qui fasse quelque effet est une drogue à base de morphine qu'un de ses médecins lui prodigue, le Palfium 875. Complètement soumise à ce médicament, dépendante de lui plusieurs fois par jour, elle recouvre modestement le désir de vivre, de jouir de la vie, et même de sourire. L'écriture est à cette époque une de ses préoccupations majeures, soutien et nécessité urgente, elle lui permet de vaincre la maladie et l'angoisse de la mort.

Elle sombre cependant dans le vertige du Palfium, dont elle devient dépendante. Elle qui se disait «invulnérable» est prise au piège de cette douleur qu'elle ne peut plus dominer. Elle entre à sa demande dans une clinique de Garches pour subir une cure de désintoxication durant quelques semaines. Le traitement est périlleux et requiert une volonté extrême puisqu'il consiste, en une sorte d'autogestion des piqûres de morphine, d'être soi-même le maître de sa guérison. Françoise Sagan croit alors toucher le fond. Seule l'écriture la sauve du désespoir : elle décide de tenir un journal intime, écrire est le moyen de la survie, le lien qui la rattache aux autres. Remontent les souvenirs d'une enfance terrienne qui sait que rien ne se trouve dans le provisoire, le passager ou le fugace. Les mots ont soudain du poids, de ce poids qui manque souvent à ces romans, l'épreuve l'alourdit d'une connaissance, d'un surcroît d'âme, de cette pesanteur spirituelle que Mauriac a toujours repérée chez elle. Dans son *Bloc-Notes* de septembre 1957, soit quelques mois après la cure de désintoxication, n'écrira-t-il pas à son sujet : «Moi, je l'entends crier»?

Elle crie en effet, corps et âme liés dans la même douleur, dans la même volonté tendue d'échapper à la mort, de ne pas quitter si tôt la scène. Mais d'y revenir autrement, sûrement plus forte, plus épaisse. «Je suis une bête qui épie une autre bête, au fond de moi», écrit-elle dans ce qui deviendra, en 1964, *Toxique,* et qu'illustrera de sa plume désossée et tragique Bernard Buffet. L'angoisse et la dépression l'envahissent avec une violence terrible qui la ravage et la laisse sans voix : le rythme de *Toxique* est fragmentaire, il saisit au vol des impressions, des espoirs, des chutes, des détresses. Le suicide est entraperçu : «Me tuer; Dieu que l'on peut être seule parfois...», confie-t-elle au détour d'une page. L'œuvre elle-même la mortifie, sa minceur est humiliante et l'éloigne davantage encore des grands modèles, Proust ou Dostoïevski. Ne sera-t-elle jamais que la Prévert du roman, celle qui décrit ses héros au petit matin, adossés au zinc, les amours de passage dans les meublés loués à l'heure et les nuages qui filent comme des signaux d'espérance et d'évasion ? D'évasion ou de désertion ?

Elle ne se fait aucune illusion sur ses textes, son domaine, écrit-elle avec une lucidité froide et sans appel, c'est apparemment «il a mis le café dans la tasse, il a mis le lait dans le café, il a mis du sucre, etc.».

Mais la méthode du docteur Morrel commence à porter ses fruits, le séjour de quelques semaines libère Sagan de son esclavage, peu à peu elle retrouve ses forces et gagne en assurance. Des objectifs très précis se présentent devant elle : son mariage avec Guy Schoeller, la parution de *Dans un mois dans un an*, et surtout ses retrouvailles avec la vie, elle qui l'aime plus que quiconque, quand elle se vit justement dans cette liberté dont elle voulut faire une esthétique, une façon d'être. Elle a cet art de rebondir, de renaître, que seule son aptitude à conserver l'émerveillement de l'enfance lui permet de susciter. Juliette Gréco rapporte ce trait avec justesse : «son capital enfance la préserve de tout». C'est qu'elle conduit sa vie comme le ferait un héroïne de conte de fées et quoiqu'elle n'apprécie guère ce genre littéraire. Facilité, prodiges, vœux réalisés dans l'instant, talismans qui ouvrent la porte des rêves, princes charmants : c'était comme si «nous vivions, dit-elle, sur un tapis magique». Mais quelquefois l'objet magique rompt le sortilège. «Le tour de clé enchanteur» qui réveille «l'animal de fer apparemment assoupi et tranquille» renvoie à la réalité du monde et confirme que l'immortalité n'existe pas. En plaisantant, elle déclare néanmoins qu'elle «mérite qu'on lui attribue la médaille de la désintoxication». L'été 57, elle reprend peu à peu goût à la vie, au charme ineffable de corriger les épreuves de son roman, à celui, non moins doux et rassurant, de penser à se marier, et de croire que «cela pouvait durer».

Ce fond de mélancolie romantique, qui a toujours présidé à sa vision du monde, s'est accru après l'accident. «Le petit frère vêtu de noir qui lui ressemble comme un frère», comme dit Musset, rôde toujours dans son existence. Le sentiment absolu de la solitude s'est emparé d'elle. Ni ses amis ni sa famille, ni son frère Jacques, qui pourtant l'a veillée si amoureusement, ni Guy Schoeller, le prétendant, ne pourraient combler ce manque, cet exil qui la laissent seule, égarée dans le monde. Mais elle place justement son élégance dans sa façon de défier cette solitude affreuse : retrouver les jeux, la gaieté, le désir merveilleux d'aimer et de voyager. À Beauvallon malgré la souffrance, elle renoue avec la Côte, le soleil, la mer, le climat si doux et la végétation si luxuriante déjà, et le bonheur intense de se pelotonner de nouveau dans un canapé ou au fond de son lit pour écrire.

Les rumeurs de mariage cependant vont bon train. La présence de Guy Schoeller à Beauvallon entretient l'annonce imminente d'une décision. Au journal *L'Aurore*, le 2 septembre 1957, Françoise Sagan confie avec un humour un peu cynique : «Nous n'en sommes ni aux roses blanches ni au voile…» Mais dans son for intérieur, sa décision est prise. Dès 1955, elle a été séduite par la personnalité solaire, aventurière et aristocratique du très vert quadragénaire, directeur des exclusivités à la Librairie Hachette, chargée des relations avec les éditions Gallimard, ami intime des Lazareff, piaffant play-boy, accumulant les conquêtes, du fameux mannequin vedette Bettina qui épousera Ali Khan à des stars de cinéma américaines. Schoeller aime la vie mondaine, les chevaux – il est un brillant cavalier –, la chasse et les safaris en Afrique. De surcroît, cultivé et fin lecteur, il séduit Sagan par ses qualités d'écoute et de générosité. Peut-être aussi espère-t-elle trouver en lui un second père, un protecteur, comme cela arrive à son héroïne d'*Un certain sourire*. Les traces autobiographiques existent quoique Sagan n'en convienne pas, et Luc ressemble inconsciemment à Schoeller. Elle aussi aurait pu dire comme Dominique qu'il était un peu vieux pour elle mais que «cet assemblage de muscles, de réflexes, de peau mate, [lui] appartenait et cela [lui] paraissait un étonnant cadeau».

Schoeller donc. Dès son arrivée à New York, en avril 1955, il s'était déjà occupé d'elle, l'avait prise en charge, avait retrouvé avec enchantement son air de petit «moineau dans un fauteuil» qu'il avait décelé chez elle en 1954, lors d'une rencontre chez Lazareff. Aux États-Unis, il l'avait emmenée partout, dans les soirées les plus huppées où elle paraissait toujours tant s'ennuyer, regardant les invités d'un air timide qui finissait par être touchant ou bien dans les boîtes à la mode où alors elle retrouvait son univers fait de musique, d'alcool, de palabres interminables à recréer le monde, de flirts, de danses, de nuits qui s'échouaient jusqu'à l'aube et dont elle revenait vidée de tout mais heureuse, parce qu'elle aimait ça, tout simplement, les nuits, les êtres dans cette nuit, abandonnés à eux-mêmes, à New York comme à Paris, partout dans le monde, cette humanité qui la rendait généreuse, altruiste.

Qu'attend-elle au juste d'un éventuel mariage avec Guy Schoeller? Leurs modes de vie sont assez différents. Elle a eu déjà l'occasion de s'en rendre compte. Pour être un play-boy de la Jet, Schoeller n'aime pas la vie de bohême, dilettante et noctambule que mènent Sagan et sa bande. Très vite, les virées dans les boîtes et les grandes soirées de gala l'ennuient et son métier, son autorité d'homme d'affaires ne coïncident pas avec une vie nocturne trop assidue. On le voit à ses bureaux tôt, le matin, travaillant à un rythme endiablé et très organisé. C'est donc tout le contraire de sa future épouse qui, au contraire, aime mener une vie lente et paresseuse, et dont l'acte de foi le plus fréquent est d'affirmer : « Mon passe-temps favori, c'est laisser passer le temps, avoir du temps, prendre mon temps, perdre mon temps, vivre à contretemps! »

Espère-t-elle cependant trouver en Guy Schoeller celui qui, comme Dominique d'*Un certain sourire*, la fera enfin « s'écrouler » ? Ou bien lui fera-t-il définitivement renoncer à ce rêve de l'amour absolu auquel secrètement elle croit encore, et alors la quête s'achèverait et tous les hommes ne seraient, comme elle le dit, que de beaux galets de la plage, ronds et chauds de soleil, contre lesquels elle se frotterait sans espoir? Serait-il celui qui lui ferait dire comme elle l'avait écrit pour sa propre héroïne : « Je mourais, j'allais mourir et je ne mourais pas, mais je m'évanouissais. Tout le reste était vain : comment ne pas le savoir, toujours? »

Pour Guy Schoeller qui a rencontré tant de femmes désirables, s'éprendre du petit « moineau », c'est retrouver une part de l'enfance perdue. Le mot qui revient d'ailleurs le plus souvent pour désigner sa future femme est celui de « pureté ». Terme inattendu quand la bourgeoisie française s'indigne de la perversité de la jeune romancière, perçue au mieux comme une ingénue perverse, au pire comme une débauchée, façon Laclos!

Mais c'est lui, Schoeller, qui voit juste dans cette analyse. Les portraits de Françoise Sagan à cette époque ne trompent pas. Ils sont troublants d'ingénuité et de timidité, et révèlent un malaise, une inadaptation au monde des adultes. Tous les clichés traduisent une difficulté de se situer par rapport à l'autre, elle baisse les yeux, porte ses mains devant elle, tient son sac comme une peluche dont elle ne pourrait se défaire, croise les jambes maladroitement, adopte des postures bancales, indécises, le sourire est à peine esquissé. La pureté de Sagan réside dans cette disponibilité à toutes les fantaisies, aux imaginations, dans son désir violent de vivre poétiquement. Comme si Rimbaud n'était jamais loin d'elle.

Sa carrière, inaugurée par *Bonjour Tristesse* et celle d'*Un certain sourire* continue cependant sur sa lancée fulgurante. Le goût du succès a quelque chose de trop facile qui accroît sa façon d'être, libre et désinvolte, cavalière et au fond profondément désespérée. René Julliard a vendu les droits de son premier roman à Ray Ventura qui les vend à son tour à la Columbia en faisant d'énormes profits auxquels Sagan ne sera pas intéressée. Une aventure presque semblable arrivera à Marguerite Duras qui se verra en 1960 privée des droits cinématographiques de *Hiroshima mon amour*, film qu'Alain Resnais a pensé d'ailleurs confier à Françoise Sagan. Mais devant les rendez-vous auxquels Sagan ne s'est pas rendue et après les refus de Simone de Beauvoir, Resnais se décide à rencontrer Duras...

Toutefois, les réactions de Sagan ne seront pas celles qu'aura plus tard Duras. Contrairement à elle qui ne cessera sur un ton d'imprécateur de dénoncer l'abus de confiance dont elle estimera avoir été victime, Sagan accepte la situation avec une certaine indifférence. Si, plus tard, s'estimant abusée, elle convoquera des avocats pour défendre âprement ses intérêts dans des procès retentissants contre certains de ses éditeurs, elle ne se sent pour l'heure ni victime ni méprisée, l'argent pour elle n'étant que le moyen de sa liberté. Thésauriser, spéculer sont des activités qui l'ennuient. Dilapider est une clé qui permet ce détachement auquel elle tient tant et qui lui laisse entièrement le désir d'assouvir cette «superbe folie d'écrire» qui la tient. Peu à peu naît cette passion de l'écriture, comme si l'accident de voiture avait été un tournant dans son existence, une manière d'épaissir sa conscience.

Néanmoins le film se fait tout seul ou plutôt sans elle dans des rebondissements auxquels elle ne prête guère attention. Certes Otto Preminger a bien un certain moment caressé l'idée qu'elle incarne elle-même le rôle de Cécile, mais Sagan a décliné la proposition avec horreur et stupéfaction. Qui donc interprètera le rôle féminin principal? Audrey Hepburn est pressentie, sa gouaille toute parisienne et sa mine espiègle semblent idéales aux yeux d'Otto Preminger. C'est dire déjà le contresens qu'il fait sur le personnage car Audrey Hepburn ne peut pas être Cécile : trop guindée dans son personnage de jeune fille comme il faut, mais dont elle sait quelquefois faire craquer les coutures, elle refuse effectivement le rôle, le jugeant immoral. Le réalisateur demande alors à la rédactrice de *Elle* de l'aider à dénicher l'oiseau rare. Assistée de Roger Nimier et de Maurice Goudeket, dont on se demande d'ailleurs ce qu'ils viennent faire dans ce casting si particulier, Hélène Gordon-Lazareff arrive à sélectionner quelques jeunes filles dont aucune ne plaira à Preminger. Ce n'est qu'à son retour en Amérique, une fois le projet du film abandonné, qu'il découvre Jean Seberg dont il deviendra amoureux et à laquelle il proposera le rôle de Jeanne d'Arc pour son nouveau film et ensuite, reprenant le projet de *Bonjour Tristesse*, celui de Cécile. La vierge et l'ingénue perverse : les deux visages de Jean Seberg seront les plus beaux plans qu'Otto Preminger tournera.

Sagan suit l'affaire de loin et assistera avec peu d'enthousiasme à la projection du film. À New York comme à Paris, c'est un échec. La presse raille la mauvaise interprétation du roman, ainsi que celle des acteurs, Jean Seberg comprise, associée dans le même naufrage à Mylène Demongeot, David Niven, Deborah Kerr. La critique prévient : «Jamais nous ne sommes émus. Jamais nous ne nous intéressons aux personnages.» Sagan reçoit de nouveau une volée de bois vert, ceux qui avaient fustigé son livre en rajoutent : «[Les lecteurs] qui ont cru se reconnaître dans les petites marionnettes de Mlle Sagan retrouveront leur ombre dans le film de Preminger», déclare sans appel le journaliste de *Image et Son*. Celui de *La Saison cinématographique* déclare : «On croyait qu'Otto Preminger était un réalisateur de classe quoiqu'un *Jeanne d'Arc* en ait déjà fait pas mal douter. Avec *Bonjour Tristesse*, il nous offre le navet de classe que l'on attendait…» Déchaîné au fur et à mesure de sa recension, le même continue : «Pas la moindre trace d'invention, pas l'ombre d'un essai de recherche psychologique, pas la moindre originalité dans la réalisation qui soulèverait un instant la torpeur du spectateur. Rien, il n'y a rien dans ce film qu'un parfum de scandale. Aseptisé comme une barre de chewing-gum à la chlorophylle et aussi fadement insipide!» Si le roman de Sagan n'y est jamais perçu comme il devrait l'être, c'est-à-dire un drame psychologique intimiste, c'est que *Bonjour Tristesse* est typiquement un roman français qui n'a pas d'égal dans la tradition littéraire américaine. La dimension tragique et métaphysique est superficiellement traitée même si l'interprétation de Jean Seberg traverse quelquefois des silences que Sagan sut placer dans son texte presque à son insu.

Mais le cinéma continue quand même de s'intéresser à la romancière. Plus à elle peut-être d'ailleurs qu'à ses romans, car c'est précisément Sagan elle-même qui est une héroïne de roman, sa vie, son style, sa personnalité, sa bande, tout se prête à une saga qui se déroulerait dans une après-guerre écartelée entre morale et laxisme, entre respectabilité bourgeoise et immoralisme moderne. *Un certain sourire* est lui aussi déjà en tournage. C'est Jean Neguslesco qui le réalisera, avec Christine Carrère, Rossano Brazzi, Joan Fontaine, Bradford Dillmann. Sagan, ayant cédé ses droits, n'y a aucun regard. Un an plus tard elle assistera, médusée, à la défiguration de son second roman. Totalement modifié par le scénario, traité uniquement sur le mode scandaleux et érotique, *Un certain sourire* est méconnaissable : «Un certain mauvais goût américain se déchaîne en typhon, déclarera un journaliste. Trop nul, même pour convaincre les derniers réfractaires du génie de *Bonjour Tristesse*!»

Mais Sagan se moque finalement de ces fiascos retentissants. La rumeur de scandale et de liberté continue de l'entourer avec ténacité. Tout se passe comme si elle l'atteignait cependant avec moins de force et de violence. Les séquelles de l'accident, la désintoxication lui ont donné une certaine gravité, un poids supplémentaire qui lui fait voir la vie autrement, peut-être avec moins de désinvolture et en même temps avec une légèreté accrue, persuadée que la vie décidément ne tient qu'à un fil, et qu'il faut alors, ce fil, le faire vibrer le plus possible avant qu'il ne se casse comme elle-même l'a été.

À la rentrée de septembre 1957, les éditions Julliard sortent enfin le troisième roman de Sagan. *Dans un mois dans un an* paraît à grands renforts de publicité et avec un énorme tirage de départ. La critique cependant tire à boulets rouges sur le livre : «Voici un vrai brouillon! Madame Sagan semble avoir perdu les qualités de clarté de son style, la concision qui faisait le charme de ses livres», dit un critique, «sur cent quatre-vingt-cinq pages, il est pratiquement impossible de s'y retrouver et cela suffit à faire de ce livre une mêlée incohérente [...] Ce troisième essai nous inquiète [...] Comment échappera-t-elle à la facilité?» déclare-t-il. Il n'y a guère que François Mauriac qui persiste et signe. Est-il fasciné par «le charmant petit monstre»? Retrouve-t-il en Sagan une de ses héroïnes romanesques qui manient le cynisme avec rigueur et dans leur propre cœur, se sentent appelées par une grâce à laquelle elles ne peuvent répondre? À ceux qui prétendent que cette œuvre est pauvre, «que ce que la petite Sagan a tiré de son sac» n'est définitivement rien, Mauriac répond avec une certaine malice : «*Les Petits Riens*, c'est un ballet de Mozart.» Et si jamais ce n'était vraiment «rien» en apparence, ce pourrait être alors «un prélude... qui annonce une grande œuvre. [Sagan] n'est pas finie. Elle commence».

La prophétie de Mauriac sonne comme un carillon dans le tollé général. La presse de droite crie en particulier au scandale, des ligues de morale et de la famille se portent partie civile pour dénoncer «le fléau Sagan» qui corrompt la jeunesse, et pourtant en quelques jours, deux cent cinquante mille exemplaires sont vendus dans les librairies! Qui donc achète ses livres? Le phénomène dépasse sa génération, au demeurant pas assez fortunée pour se procurer des ouvrages en première édition, elle compte des lecteurs dans toutes les couches sociales de la population, car le fameux «capital» de Sagan, c'est sa discrétion, sa pudeur dans la vie, cette générosité qu'elle affiche, cette tolérance en toutes choses qu'elle ose proclamer dans une société qui commence à s'ébrouer, à sortir de ses gonds, à briser des moules et des schémas bien établis. Sagan est roborative, elle affirme une certaine santé, elle est celle qui va au bout d'elle-même, va là où ses désirs l'appellent, héroïne rimbaldienne des temps modernes. Qu'importe aux lecteurs que Françoise Sagan dilapide sa fortune quand eux-mêmes passent leur temps à travailler, elle a cette gentillesse qui fait qu'ils ont envie qu'elle soit leur sœur, leur amie. La dimension militante de ses confrères en littérature, somme toute, fait peur aux Français. Duras, Sartre, Beauvoir, ont cette radicalité et cette intransigeance qui éloignent des hommes ordinaires. Leurs choix politiques surtout, en cette période de guerre civile en Algérie qui se déplace inexorablement en France, sont trop abrupts et révolutionnaires pour que leur engagement ne soit ressenti comme agressif, voire comme une traîtrise envers la France, inconsciemment perçue par ceux-là mêmes qui sont sympathisants de l'Armée de libération nationale. Sagan, est pour eux, dans la morosité de la fin des années 50, une sorte de rayon vivifiant. C'est pourquoi son accident de voiture a fait la une de la presse entière. Autant que celui de Camus quatre années plus tard. Plus encore que ceux de Huguenin et de Nimier...

La publication de *Dans un mois dans un an* rallie les inconditionnels mais l'opinion publique, si elle a de la sympathie pour Françoise Sagan, est paradoxalement plus circonspecte quant à son œuvre. La droite surtout fustige le délabrement général des mœurs auquel, prétend-elle, collabore activement et sans pudeur la romancière. Étiemble «dénonce les deux maux de l'époque : le Coca-Cola et Françoise Sagan»... Peu encore devinent l'évolution intérieure que l'accident lui a permis de ressentir. Elle est loin de ce qu'elle disait encore il y a trois années à peine : «Que cherchons-nous sinon à plaire?» Sa désinvolture est moins outrageusement exhibée comme si la maladie, la dépendance au Palfium avaient ouvert ses yeux, mûri quelque chose en elle qu'elle a encore peine à définir.

Et puis la guerre d'Algérie s'amplifie. Le général Massu, qui a les pleins pouvoirs, ratisse Alger, lance une bataille sanglante, les intellectuels sont désormais sommés de s'engager. Sagan a toujours déclaré qu'elle n'a jamais voté, comme pour affirmer son souci d'indépendance, et contrairement à certains elle ne prend pas parti, dans des débats organisés à la Mutualité ou dans les journaux comme *L'Express* ou *France Observateur*. Elle n'intervient pas davantage dans *L'Aurore* qui s'engage pour l'Algérie française, à la manière de Jacques Laurent qui se tait sur la torture, tout au plus des «brimades psychologiques», écrit-il, alors que l'intelligentsia française s'enflamme au sujet de l'ouvrage d'Henri Alleg, *La Question*, et que dans une pétition signent pêle-mêle Malraux, Sartre, Roger

Martin du Gard et Simone de Beauvoir.

À cette époque Sagan est moins préoccupée par la sortie de *Dans un mois dans un an* que par la comédie-ballet dont elle a écrit l'argument et qu'elle donnera, le 9 janvier 1958, au théâtre de l'Opéra de Monte-Carlo, *Rendez-vous manqué*, dans une musique de Michel Magne, des décors de Bernard Buffet et une mise en scène de Roger Vadim. Sagan reprend dans son ballet les thèmes majeurs de son imaginaire : un jeune homme se croit abandonné par celle qu'il attend et qu'il aime, il se suicide après que sa demeure est envahie par de joyeux fêtards... La critique, bien préparée, a déjà mis l'eau à la bouche des invités. Mettant en avant la jeunesse des quatre créateurs, elle présente le ballet comme un pur spectacle de la modernité. Mais quelques jours avant la représentation, le prince Rainier fait censurer une scène du troisième acte dans laquelle une danse lascive sous la douche est jugée trop osée. Du coup, toute la critique relaie cette censure et c'est dans un état d'esprit plutôt hostile qu'elle assiste à la première. Elle a lieu en présence de la princesse Grace et du prince Rainier en compagnie de Jean Cocteau...

Le Figaro déclare que «le spectacle reste constamment banal», *Le Parisien libéré*, ironisant sur le titre prémonitoire, juge le ballet comme un «divertisement de jeunesse sur un thème bien mince»... Seul *Libération*, indulgent, affirme que le spectacle est «homogène et caractéristique d'un temps et d'une génération»...

À Paris, la première a lieu le 21 janvier au Théâtre des Champs-Élysées. L'accueil est tout aussi mitigé. Serge Lifar n'apprécie guère la chorégraphie de John Tarras et de Don Lurio. Ses commentaires sont plutôt réservés et, dans *La Chronique de Genève*, il déclare : «Je raffole de la naïveté voluptueuse de Françoise Sagan. À part ça, c'est une pauvre gosse. Elle était perdue au milieu des officiels et je lui ai dit : "C'est affreux, Françoise, mais je t'aime bien. Allons danser". Elle est modeste, elle a souri.» François Mauriac, l'éternel soupirant, vient au secours de Sagan. Il s'est déplacé pour la première, et s'il ne retrouve pas l'épaisseur spirituelle qu'il a décelée dans ses trois premiers romans, éprouve manifestement une sympathie presque amoureuse pour la romancière, qui, ce soir-là, arbore une robe très décolletée de taffetas sombre.

Le ballet poursuit cependant sa carrière internationale. Mais à New York, la critique n'est pas davantage favorable. *Le Figaro,* qui a suivi l'événement, persiste et signe ironiquement, en parodiant Alfred de Musset : «Beaucoup de bruit pour rien»…

Sa décision de se marier avec Guy Schoeller à la fin de l'hiver 1958 réveille en elle des sentiments bourgeois, sa modernité déclarée est comme bridée par de vieux réflexes traditionnels. Au fond, et quoiqu'on puisse en penser, elle croit au mariage. «La première fois, écrit-elle dans *Réponses*, que je me suis mariée, […] je croyais à la nécessité de vivre avec l'homme que j'aimais.» Tout en elle formule ce désir de la durée qui contredit complètement sa légende mais aussi les faits. Cependant l'engagement est dur à prendre. Elle hésite à franchir le pas, menace en riant de rompre son mariage, part quelques jours avant la date fixée du mariage, le 13 mars, en voyage en Italie avec son frère comme pour retrouver une dernière fois l'émotion étrange et poétique de former un couple avec celui qu'elle connaît depuis l'enfance et qu'elle aime. Ils arpentent la péninsule jusqu'à Naples, boivent, jouent, vivent cette vie délicieuse des enfants terribles à la Cocteau, elle promet à Guy Schoeller de rentrer bientôt, mais cette escapade est ressentie comme une sorte d'enclave secrète que personne ne peut comprendre, sinon eux deux, le frère et la sœur, qui ont en commun cette violence, cette passion obscure, sauvage qui vient de très loin et dont ils ont peine à se défaire. «C'était le bonheur», proclame Jacques Quoirez... Le paradoxe de Sagan se discerne bien là : elle qui déplore au fond de n'écrire que des platitudes, d'être lue et adulée pour cela même, n'aime que les histoires de passions romantiques. Ce qu'elle voudrait écrire, c'est ce qu'elle entrevoyait dans ses ébauches adolescentes, d'amples scènes lyriques où s'affrontaient des sentiments farouches et brutaux, des scènes épiques où se joueraient de manière moins fragile la vie et la mort, le désir et la jouissance, des scènes dignes des Borgia...

De son côté René Julliard, qui fait sourire un peu le Tout-Paris des Lettres en lançant chaque année une inconnue comme pour réitérer le coup de 1954, exploite la sortie du roman. Il jubile sans se douter que la presse puisse l'interpréter comme une mise en scène. Une sortie de livre qui caracole déjà à des centaines de milliers d'exemplaires, une dédicace «À Guy Schoeller» qui ne fait plus aucun doute sur la nature des relations qui unissent Sagan à l'homme d'affaires à la mode, un suspense que Sagan elle-même n'essaie pas de rompre : il n'en faut pas davantage pour faire vendre...

Elle revient enfin d'Italie. Le mariage a lieu donc comme prévu le 13 mars 1958, à la mairie du 17e arrondissement de Paris. Bien entendu «dans la plus stricte intimité». Mais la popularité de Sagan est telle depuis l'accident qu'elle ne peut plus faire un pas sans être coursée par quelque paparazzi. Aussi le jour du mariage, plus de deux cents photographes attendent-ils comme pour un assaut la voiture des futurs mariés. Sagan arrive en petit tailleur clair dans le goût des années 50, sage et bourgeois, col Claudine et jupe cintrée, tandis que Guy Schoeller, en pardessus sombre et costume-cravate, quadragénaire séduisant aux tempes dégarnies, affiche un large sourire. Les témoins sont, pour Sagan, Jacques Quoirez et maître Sauerwein et, pour Schoeller, Gaston Gallimard et Pierre Lazareff. La cérémonie civile se passe dans une certaine euphorie. Les mariés ont oublié d'acheter leurs alliances et l'on a peine à entendre leur consentement. Mais les photographies prises à la sortie de la mairie des Batignolles montre le couple parfaitement joyeux, Sagan esquisse son petit sourire timide au bras de son mari qui sourit plus triomphalement.

Sont-ils cependant réellement assortis ? Intuitivement, Schoeller sait que sa femme ne sera pas toujours à ses côtés, qu'elle se laissera reprendre par son indépendance naturelle, par sa bande, son goût de la fête et du divertissement : tout ce qu'il n'aime pas au fond et auquel il a jusqu'alors consenti pour plaire à Sagan et peut-être pour la séduire. Elle, de son côté, même si elle éprouve pour Schoeller un réel amour, sait qu'elle aura besoin de cette liberté qu'elle revendique, chevillée au corps et à l'âme, et rien ne l'en détournera, car ce divertissement est sa manière à elle d'échapper à son angoisse profonde, à l'ennui bourgeois, à la monotonie obscène de cette vie bourgeoise dont elle ne sait pas cependant se défaire par d'autres côtés. Le mariage se poursuit néanmoins selon les critères bourgeois les plus rituels : après la mairie, les invités, peu nombreux d'ailleurs, se retrouvent à Louveciennes, dans la propriété des Lazareff, une exquise demeure ayant appartenu à une favorite de Louis XV, La Grille royale. Raymond Oliver, le grand maître de la gastronomie qui triomphe alors, est le maître d'œuvre.

Sagan est-elle un de ces fauves sauvages que Schoeller, en don Juan amateur de grandes chasses au Kenya, peut réellement dompter ? Sagan ne sera jamais Françoise Schoeller. Trop d'imprévisible, trop d'aléatoire la gouvernent pour accepter de mener la vie mondaine et somme toute régulière et monotone de son mari. Les grands dîners – parisiens et snobs elle s'en rendra compte très vite – l'accablent d'ennui. Elle se prête un temps à ce jeu mais elle aspire à retrouver ses amis dans les boîtes à la mode et les clubs privés. Chazot, Frank sont bien plus drôles et insolents que ces couples bourgeois et snobs de la finance et des affaires qui font le monde. Sagan n'a jamais voulu le refaire mais s'inventer un univers où elle se sente à l'aise, libre et docile à sa fantaisie.

Dix jours à peine après son mariage, elle est reprise par l'édition, le succès. On lui demande des avis sur tout, la mode, la politique, les affaires judiciaires. Ainsi, le 22 et le 23 mars, elle écrit une chronique libre en marge de celle de Jean Laborde pour *France-Soir* à l'occasion du procès d'assises des assassins du parc de Saint-Cloud, Jean-Claude Vivier et Jacques Sermeus, deux jeunes gens de vingt ans. Sagan assiste au procès et écrit des articles très déconcertants qui ne sont pas du tout dans la tradition de la chronique judiciaire, à la manière de ce que fait à la même époque Marguerite Duras pour certains faits divers. Employée à contre-courant, elle étonne bien plus que lorsqu'elle écrivait des articles pour *Elle*. Les lecteurs de *France-Soir* découvrent une autre manière de voir un procès. Avec sa désinvolture habituelle et cette forme de libre insolence qui la définit, forte peut-être aussi d'avoir défrayé la chronique avec son mariage, elle traite l'affaire comme une pièce de théâtre. « Tout cela commence assez gaiement comme les corridas. Il faisait très beau. Versailles était plus doré que jamais... » Le décor campé, elle introduit les personnages, le gendarme qui «fait le beau» devant la petite porte des accusés, les parents des victimes, les avocats, le public et enfin les assassins, qui ont rasé leur moustache. On se croirait dans une pièce de Jean Anouilh. Légèreté et horreur sadique se côtoient, Sagan observe comme le ferait Proust, saisit le détail terrible, les grosses mains des tueurs, rougeoyantes et suantes, leurs cheveux bien coiffés «comme pour aller au bal». Théâtre de l'absurde, dit-elle, qui hésite entre Jarry et la tragédie antique. Les comédiens sont en place, les plus vrais, les plus vibrants sont maître Floriot et Vivier. «L'absurde est le seul roi»…

Il n'est pas certain que ces «impressions» (le terme est prudemment avancé par la rédaction de *France-Soir*), plaisent tout à fait aux lecteurs du journal qui ont l'habitude de compte-rendus plus aseptisés. Mais la chronique qu'elle a confiée révèle confusément une autre Françoise Sagan, plus lourde de jours difficiles, plus profonde.

Pour leur voyage de noces, les mariés se rendent à Saint-Tropez, durant l'été. Sagan bien sûr connaît par cœur le petit village qui, depuis 1954, a changé considérablement. Le couple, déjà, ne vit pas sur la même longueur d'ondes. Schoeller, peut-être parce qu'il est plus âgé, ne trouve aucun intérêt à perdre ses nuits dans des night-clubs ou à palabrer devant des verres de whisky. Il laisse Sagan à ses amis, elle retrouve ainsi très vite ses habitudes de noctambule, ses vieux démons, l'alcool, le goût de la fête, l'épuisement de soi dans la nuit. Elle sait qu'ils l'entraînent dans une impasse mais elle vit ce retour comme un «destin». Sa légende la porte et la domine. Les amis, faux ou vrais, qu'importe, l'entraînent dans les errances du passé. Schoeller laisse faire, trop accaparé par ses projets, son travail, prisonnier aussi de son caractère, de sa rigueur. Le temps fait doucement son œuvre. D'érosion, d'oubli, d'effacement. Le couple vit à sa manière, chacun se livre à des entorses, enfreint la confiance de l'autre, mais aucun des deux ne peut ignorer le délaissement, les fils qui se détendent, les tromperies réciproques dans les hôtels de passe, et aucun des deux néanmoins ne se refuse à l'autre comme elle le raconte dans *Derrière l'épaule* : «Nous nous rencontrions, en cachette, dans des lieux discrets et prêtés par des amis dépassés. Les cours, les petites ruelles, les étreintes rapides, les boîtes de nuit ou les plages d'un jour nous servaient de cachettes. Nous étions pourtant mariés encore devant la loi et je trompais mon amant avec mon mari. Cela ressemblait à une pièce d'Anouilh.»

Mais la pièce n'est pas rose mais grinçante ou noire. Sagan commence à s'ennuyer, Saint-Tropez a perdu le charme innocent et puéril qu'elle a conservé dans son souvenir, «les magasins, les bars, les marchands» s'y multiplient. «C'est la folle débauche de l'argent» qui dénature le petit port de pêche et qui lui donne envie de s'intéresser à la Normandie…

Elle est reprise par le succès. Les répétitions de *Château en Suède* la dérident et lui font oublier la cruauté d'un échec pressenti, programmé même, celui

240

de son mariage. Tout ne serait-il donc que de passage, aussi rapide, aussi vain, aussi incommunicable? Tout ce qu'elle a écrit dans ses précédents romans se réalise comme une fatalité, une prémonition. «Elle était une femme qui avait aimé un homme. C'était une histoire simple : il n'y avait pas de quoi faire des grimaces.» Jamais la fameuse phrase, désinvolte et cynique, n'avait été autant d'actualité. Quand donc entendrait-elle, elle aussi, les grelots de Mozart qui lui redonneraient le désir de repartir, de redescendre en Italie ou ailleurs, de se retrouver dans d'autres bras, imprévisibles et changeants? La quête du bonheur se poursuit, elle a quelquefois des saveurs exquises mais souvent aussi elle brûle et désespère.

Les répétitions de sa pièce, le contact avec les comédiens, la façon qu'ont ses mots d'être emportés dans d'autres lieux que ceux où elle les avait logés, l'ambiance des salles de spectacles, les angoisses des comédiens au fur et à mesure que l'échéance de la générale arrive, la mettent dans une euphorie joyeuse, amicale et fraternelle qui l'enchante. Sagan retrouve l'esprit de la bande, cette communauté d'êtres à part, cet art de vivre différemment, cette intimité créatrice. Elle aime «l'odeur du bois, les décors qu'on met en place [...] les crises de nerfs... Tout un monde clos et un peu fou.» Dans le théâtre enfin, il y a l'idée du jeu, tant de travail, de mois de répétitions pour qu'en une seule soirée, la critique et le public décident que la pièce ne tiendra pas l'affiche plus de quelques soirs. C'est une histoire de poker, de banco, comme un jeu de casino, tout donner de soi, tout miser et puis ne rien gagner parfois.

Les relations avec son mari continuent de se dégrader mais sans acrimonie. Chacun observe qu'il n'est pas fait pour l'autre ou peut-être pour le mariage. Ils déménagent pour trouver un appartement où chacun puisse vivre comme il l'entend. Déménager… Sagan retrouve avec joie cette existence bohême, qui lui donne « le temps, dit-elle, de ne pas posséder ». Déménager : « regarder passer de nouveaux nuages… » Le sourire est triste cependant, déclare le Père dominicain Blanchet et non moins critique littéraire éminent. Les vœux un peu facétieux, en forme de calembour, qu'avait prononcés le maire du 17e arrondissement, il y a quelques mois à peine, n'ont guère été exaucés : « Madame, lui a-t-il dit, j'espère qu'avec un certain sourire, pas pour un mois ni pour un an, vous direz : Adieu Tristesse »… Le jeu de mots avait voulu être spirituel et avait fait pouffer Sagan, mais il la renvoie à présent à son histoire secrète : il faudra à peine un an pour que les mariés se séparent définitivement.

Les rumeurs vont bon train : les échotiers publient de brefs communiqués pour raconter au jour le jour la séparation. Seules les répétitions d'*Un château en Suède* permettent à Sagan de supporter sa défaite. *Paris-Match*, *France-Soir* ne la laissent pas en paix. Sa vie privée est étalée devant le grand public, quelque chose en elle la rend indifférente. Elle subit mieux qu'avant ces intrusions dans son existence. Mais l'échec de son couple la meurtrit secrètement. Tout au fond d'elle-même, une ancienne nostalgie demeure, d'un bonheur à deux, d'une pause dans le grand mouvement sensuel du monde : «même s'il n'y en a pas [du bonheur], dit-elle, j'aime ces trêves».

Elle sait qu'avec Guy Schoeller, tout est achevé et était impossible. Chacun trop prisonnier de sa légende qu'aucune coïncidence ne pouvait réunir. «Il lui racontait un galop matinal à Maisons-Laffitte, un dîner qu'il avait eu la veille, dans le monde où l'on s'ennuie. Elle l'écoutait lui parler impitoyablement de tout, sauf de l'essentiel», rapporte Michel Clerc, dans le *Paris-Match* d'avril 1960.

Qu'est-ce au juste que cet «essentiel» pour Sagan? Elle répond avec cette pointe de nostalgie qui toujours teinte ses propos, en citant Chateaubriand : «Ce n'est pas tant de perdre quelqu'un qui est atroce. C'est renoncer aux souvenirs.»

Quand cet essentiel de l'absolu disparaît, que l'enchantement lui-même n'est plus là, à chaque heure du jour et de la nuit, «il faut filer», confie-t-elle. Depuis toujours elle a connu cette errance du cœur et de l'âme, cette forme d'exil que rien n'attache, que nul ne peut relier, et ce désir informulé, indicible, de «quelque chose de plus qui ôte, auprès de l'être qu'on aime, la sensation d'aimer». Elle dit ces mots avec précision, elle les cite de mémoire. Ils sont de Proust, d'*Albertine disparue*…

Pour autant, Sagan mûrit singulièrement. Si elle déclare avec impudence «aimer la fête», et l'argent, la réalité du monde commence à l'intéresser. Celle-ci n'est pas vue au filtre de ses divertissements, mais dans le quotidien de la guerre d'Algérie, dans une prise de conscience lente, sensible et surtout instinctive qui, sans la rapprocher du grand militantisme, fait qu'on la sollicite pour certaines affaires, certaines prises de position d'ordre moral ou social. Néanmoins, peut-être à l'instar de son ami Bernard Frank, dont l'engagement est presque surréaliste, et de nature plutôt imprévisible, elle ne désire pas «entrer en politique», elle prend parti de manière aléatoire, et fonctionne au coup de cœur, ce qui irrite profondément la romancière rivale, Marguerite Duras, dont les choix sont nettement plus dogmatiques. Sagan, qui est d'une autre génération, plus mobile, plus insolente et moins politisée, réagit à l'affectif et même quelquefois dans l'impulsion poétique, dans la provocation, soutenant des positions contradictoires, comme son adhésion au moins verbale au général de Gaulle considéré comme un véritable... homme de gauche, à la grande fureur de Duras qui voit en lui un dictateur, un putschiste et le clame en proférations pythiques dans une revue qu'elle a créée avec le «groupe de Saint-Benoît», Edgar Morin, Dionys Mascolo, Robert Antelme, et qui s'appelle *14 juillet*. La politique au fond n'est pas le domaine de Françoise Sagan. Se situant plutôt du côté des moralistes, ce qui la préoccupe, c'est d'abord d'avoir une position de juste, une manière de vivre qui ne doit tromper personne. Être un écrivain est d'abord à ses yeux «ne pas duper ni tromper». La démarche politique vise à organiser, administrer, légiférer, tout ce qui est en fait éloigné d'elle. Ce qu'elle aime, c'est «le provisoire des choses», une précarité de l'existence qui lui permet de connaître l'émerveillement, l'inaugural, la découverte, et qui se trouve généralement «au bout de la nuit», dit-elle.

Contre Guy Schoeller, malgré toute la fascination (elle emploie elle-même ce terme), qu'il aura pu exercer sur elle, il y a cependant un rival redoutable : l'écriture. À plusieurs reprises, Françoise Sagan s'est expliquée sur cette tétanie, sur cet appauvrissement créatif que l'état conjugal opéra en elle, comme si sa liberté avait été soudain mise en cage, amenuisée : «Je ne pouvais plus écrire, ni lire.» Est-ce à cause de la puissante personnalité de Schoeller, envahissante et brillante, qu'elle se sentit soudain comme une petite fille, n'ayant plus cette force et cette indépendance que ses livres précédents lui avaient données? Ou bien de la façon de vivre du couple qui finalement devait ressembler à tous les couples de la grande bourgeoisie, convenus et sûrs d'eux, de leur argent, de leur autorité, de leur pouvoir? Sagan, malgré ses succès, vit au contraire dans l'incertitude et la précarité, de vie comme d'argent. Les lieux sont de passage comme les hommes eux-mêmes, poussés par le grand souffle du temps. Et puis le couple altère, selon elle, le désir, le besoin de séduire, empêche l'imprévisible rencontre.

«Alors un soir, raconte-t-elle, j'attrapai mon chien Youki, un sac de voyage, une robe de chambre et, marmonnant péniblement quelques phrases, fis demi-tour sans autre explication.» Il n'y eut guère en somme que la femme de chambre pour éprouver quelque joyeux soulagement à ce départ, heureuse de retrouver enfin un peu d'ordre dans la maison...

Sagan part pour le Midi. Il est toujours (mais plus pour longtemps), le lieu de l'évasion, le refuge du bonheur, le moyen de se reconstruire, de se retrouver. Un nouvel amant, son chien, une voiture, la mer, la baie des Canebiers : c'est la liberté reconquise. «Que la Méditerranée était douce aux cœurs écorchés...»

Dans ces moments de doute et de transition, Sagan retrouve sa voix naturelle, celle qu'elle aurait aimé approfondir et que le succès désormais l'empêche d'accomplir. La poésie est peut-être sa voie la plus vraie. Depuis l'enfance, elle la fréquente, elle s'y est essayée très tôt, elle continuera à la provoquer toute sa vie. Si Proust est pour elle le modèle essentiel, Rimbaud, pour son innocence et sa sauvagerie, sera son maître encore que Prévert, qui n'est pas de la même pointure, l'enchante pour sa liberté de ton et cette manière de chanter les petits bonheurs de Paris, la ville «exquise.» C'est là que se situe sûrement l'é-cartèlement de Françoise Sagan, entre ces deux voix si différentes, qui ne vibrent pas sur les mêmes diapa-sons : Rimbaud et Prévert. C'est qu'elle peut être l'un et l'autre, vivre dans la violence du jeune prodige et dans la bonhomie souriante et doucement subversive du poète des bistrots et des rues de Paris. A-t-elle été prisonnière en réalité de son étonnante et mystérieuse pochade de jeunesse : *Bonjour Tristesse*, de ce « petit roman à la noix » comme elle dit, où elle mania avec tant de naturel et de légèreté le cynisme et la désinvolture d'aimer ? Après, devant le succès, il avait fallu suivre la même voix de petit Laclos en jupons, ne pas décevoir la rumeur scandaleuse, y aller encore de la « petite musique » au sillage sulfureux...

Mais c'est une autre voix qui plaît à Sagan, la voix poétique : « Mon grand rêve a toujours été d'écrire des poèmes dans un endroit bien connu de moi et qu'ensuite on ne me détourne pas de cet élan intérieur, exaltant, mais trop résistant chez moi, cet élan fondé uniquement sur les sens, la mémoire instinctive et l'harmonie, bref l'écho lyrique. »

Tout est dit dans cet aveu fait en passant, comme une chose un peu honteuse mais qui tient quand même à être prononcée. La poésie est donc la véritable voix de Sagan. Le reste, c'est le fourvoiement, le « détournement », la nécessiteuse voie qui permet la liberté, l'argent à flots, la facilité. La complexité de la romancière est tout entière dans ce secret-là. Les « petits romans » que la critique écorche voluptueusement, chaque année, sont vécus par elle comme des habitudes même si parfois « l'écho lyrique » surmonte la banalité de la phrase et lâche quelques éclats comme des lames qui ressemblent aux foudres de Rimbaud. Mais quel éditeur voudrait dans cette deuxième partie du XXᵉ siècle et surtout après tant de juteux bénéfices, d'un recueil de poèmes de Françoise Sagan ? La raison et la prudence l'en empêcheraient sûrement, et le discernement aussi car les poèmes qu'elle a donnés à telle ou telle revue au cours de sa carrière ne sont pas franchement exceptionnels. Poèmes de la nostalgie et des petits bonheurs, des maisons aimées et des animaux, ils font penser à ceux d'une Desbordes-Valmore moderne ou encore à ces célébrations heureuses que chantait, dans les années 70, Denise Dubois-Jalais. Nulle part le chant obscur de Rimbaud, la lumière de René Char, la fièvre d'Antonin Artaud. Elle est consciente toutefois de l'exigence que requiert la poésie et des misérables droits d'auteur qu'elle génère. Aussi revient-elle au roman, à la facilité naturelle qu'on réclame d'elle.

Dans un sursaut d'orgueil, dépitée par l'échec de *Dans un mois dans un an*, et dont elle entend encore les critiques acerbes («un fouillis», «un brouillon»), elle se lance dans son nouveau roman, bien décidée à en remontrer. La petite musique va opérer du côté du plus mélancolique des grands inspirés post-romantiques, du vague à l'âme allemand, du côté de Brahms.

Le roman de la rentrée littéraire 1959 s'appelle donc *Aimez-vous Brahms...* Une nouvelle fois, Sagan fait la une de tous les magazines, divise et rassemble, sème la polémique, et toujours les mêmes arguments depuis *Bonjour Tristesse*, les mêmes admirateurs, les mêmes détracteurs et... le même engouement du public.

C'est l'histoire toujours recommencée des amours impossibles, des exils et des solitudes, des mystères qui se jouent entre des êtres, jeunes, moins jeunes, des douleurs et des coups de foudre et dans le fond des cœurs, la petite musique lancinante, brève et douce, de Brahms. Sagan une fois de plus écrit en mineur, son plus fin registre, la plainte latente des amants, le bonheur impossible et le pressoir du temps qui fait l'ennui et désempare. Certains critiques, comme des professeurs d'école, la félicitent d'avoir entendu leurs précédents reproches, «nous en sommes ravis», déclare l'un d'entre eux, lui décernant un satisfecit. Émile Henriot qui «suit» Sagan depuis son premier roman, se réjouit qu'elle se soit enfin «détournée de cette misérable jeunesse» qui hantait ses premiers romans, cette «petite pègre inutile, amorale et jouissarde». D'autres, comme Jean-François Rolland, de *France-Observateur*, semblent plus sceptiques : «Les personnages n'existent pas, déclare-t-il, n'ont pas d'épaisseur, n'émeuvent pas [...] Comme les décors sont à peine esquissés, on a l'impression de se promener dans un appartement vide.»

Ici l'on parle de «grâce», là de «petit roman mince, vraiment pauvret, de philosophie à trop bon marché»... Les lecteurs cependant la soutiennent, la réconfortent et semblent même la protéger. Elle est comme intouchable, l'affection qu'ils lui portent est redoublée par l'accident de voiture. Ses frasques, sa séparation affichée dans toute la presse n'entament pas la sympathie qu'elle exerce au point que ses romans ne

249

sont plus en jeu. C'est Sagan qui intéresse. Jérôme Garcin note, avec bonheur, cette singularité : «Les Français ne la respectent pas, ils l'aiment... Ils s'inquiètent de sa santé, lui reprochent de trop fumer ses blondes mentholées et jugent à sa taille de guêpe anorexique qu'elle ne se nourrit pas assez : ils voudraient que leur Jeanne d'Arc fît moins la nouba et que sur l'autoroute A13, elle bouclât sa ceinture.» Mais féroce, d'un cinglant coup de patte, il achève son propos par un : «son œuvre est un bachot qui se prolonge...»

Néanmoins *Aimez-vous Brahms* a l'avantage de poser enfin la vraie question. Devant les indécisions et les doutes sur la qualité de l'œuvre, Jean-François Rolland lance enfin : «Alors, quoi, finalement, est-ce bon ou mauvais?»

L'article de fond qu'il écrit pour *France-Observateur*, le 1er octobre 1959, fera date. Le journaliste observe que de toutes les critiques qui parurent au sujet du dernier roman, aucune ne fait référence à la littérature. «On juge Françoise Sagan d'après ses essais précédents, on constate qu'elle change, en bien généralement, on couve ses premiers pas dans les sentiers encore inabordés par elle, on salue l'aisance avec laquelle elle passe du "je" au "il", on affirme qu'elle "vieillit" très bien, etc.», mais de l'écrivain, il n'en est généralement jamais question. Même ses admirateurs et ses critiques bienveillants lui donnent le coup de pied de l'âne. Claude Roy, dans *Libération*, loue certaines scènes, mais s'indigne qu'on puisse comparer son talent à celui, «immense», de Colette, et termine son article perfidement en invoquant «l'attendrissante minceur» du roman…

Il semble donc que les critiques voient dans ce qui, à présent, apparaît néanmoins comme une œuvre, après quatre romans, un phénomène d'un ordre étranger à celui de la littérature. Son succès public viendrait du fait que ses personnages, inconsistants, et ses décors, vides et ouverts à tous les vents, sont en fait des matrices pour ses lecteurs, des endroits, des corps où se loger eux-mêmes. Ses héros deviennent alors, toujours selon Jean-François Rolland, des «porte-manteaux où chacun accrocherait ses hardes», «n'importe qui [dans ces appartements vides] peut s'y installer aisément et insérer sa petite histoire entre les peu encombrants fantômes qui [les] hantent». En d'autres termes, une critique littéraire de Françoise Sagan est-elle possible? Les grands aînés, Durrell, Lowry sont négligés, oubliés, méprisés, leur public est trop mince et le battage médiatique autour des romans «insignifiants» de Sagan commence à indisposer.

De ce débat, Sagan ne s'indigne ni ne s'émeut. Elle se partage entre la Côte d'Azur et la Côte-de-Grâce, entre Deauville et Honfleur, préférant jouir d'autres émotions, que celles que la littérature, elle le sait bien, jamais ne pourra lui procurer. Elle continue de «dépenser» sa vie dans les casinos, dans les tripots, dans les hôtels pour amants, mais aussi sous la lumière dorée et poudrée de cette Normandie dont elle commence à découvrir le charme secret, presque fané, filtré de brume et d'eau grise. Sous «la voilette », les yeux furtifs, comme ceux de Zelda Fitzgerald, trahissent des exils qu'elle ne se cache pas. On retrouve la même tristesse sourde et grise chez les héros de Pavese.

Le succès d'*Un château en Suède* vient cependant à point nommé pour lui permettre de s'évader. Mauriac lui-même, fidèle comme d'habitude, l'encense à l'issue du spectacle. On prétend un peu partout qu'un nouveau Musset est né, non pas celui de *Lorenzaccio* (dont Sagan rêve en secret) mais celui des *Comédies et Proverbes* où voisinent sans cesse gaieté et cruauté, tristesse et ironie souriante. Mieux encore, dit Mauriac à l'issue du spectacle, « c'est grave ». Sur ses lèvres, ce mot est très important : il signifie que Sagan a gagné en épaisseur d'âme, autant dire en spiritualité, le domaine unique du roman de Mauriac.

Depuis un certain temps déjà, Saint-Tropez n'est plus ce qu'elle a connu. Les hordes de touristes veulent connaître à leur tour « les jours dorés et les nuits blanches », mais « l'argent est au cœur de la ville ». Réfugiée dans le village de Grassin qui surplombe Saint-Tropez, Françoise Sagan vit sur la Côte les derniers beaux jours d'une jeunesse dilapidée avec cette gaieté et cette mélancolie qu'elle allait épancher à L'Esquinade. Folles nuits dans les boîtes de copains, à danser le be-bop, midis à brûler son corps sur les galets crépitants de soleil dans de petites criques où vient s'allonger la mer, à présent livrées à ceux qui croient « s'acheter du charme en lançant leurs dollars, leurs marks et leurs lires sur le tapis bleu de la Méditerranée». Alors commence à naître l'idée de la Normandie, sa douceur verte, ses bocages et ses maisons basses, son climat de brume et son soleil tiède. Sagan décide d'y louer une maison. Dans *Derrière l'épaule*, elle raconte qu'elle eut le choix entre deux sortes de demeures : une villa tout confort au bord de la plage et une vieille maison «délabrée» dans l'arrière-pays. Elle optera bien sûr pour la seconde, vieux manoir situé à Equemauville, dans le pays d'Auge, sur la Côte-de-Grâce, entre Honfleur et Deauville. Au manoir du Breuil, c'est son nom, ont vécu Alphonse Allais, Jules Renard, Sacha Guitry, Yvonne Printemps, Tristan Bernard et même Sarah Bernhardt. C'est une longue et élégante maison aux toits d'ardoises, entourée d'un parc. Pour y accéder, une longue allée de hêtres séculaires aux hautes frondaisons rend plus mystérieux encore le manoir. Sagan a aussitôt le coup de foudre. Elle aime les vieilles maisons qui toujours lui rappellent celle de son enfance à Cajarc, les vastes pièces mal meublées où règne un doux désordre, des meubles bas et des livres, des disques, des coussins partout et des fauteuils en rotin, des abat-jour de guingois et des bouquets d'hortensias fanés qu'elle met dans des vanneries anciennes chinées à Honfleur. Dans le parc, ses animaux familiers sont rois, elle aime ce farniente si étranger à celui de Saint-Tropez, ces fins d'après-midi fraîches, même l'été, l'odeur des pommes et de l'herbe coupée, et les feux de bois qu'on allume le soir dans la cheminée du salon en écoutant

Schumann, Brahms ou la voix rauque et perdue de Billie Holliday. Et puis Deauville et son casino ne sont pas si loin. La nuit, rien n'est plus grisant que de prendre une voiture, de longer la côte sinueuse, de traverser Trouville et de se jeter enfin dans l'antre atroce et magique des salles de jeux.

À Equemauville, la mer est en fait très loin comme aurait pu le dire Tristan Bernard qui «adorait Trouville parce que c'était tout près de Paris» et… loin des plages. Sagan n'a pas le courage d'arpenter les chemins de traverse qui y mènent, et puis en Normandie, la disponibilité à la mer est moins grande que sur la Côte d'Azur. Les plages sont plus familiales, longues sous le ciel bas, et l'eau bien plus fraîche. «Bernard Frank, Jacques Chazot et moi-même ne vîmes plus que l'aube et la nuit, avec parfois un peu d'herbe entre les deux.»

Farouche et impérieux, le désir du jeu reprend Françoise Sagan, les tables de roulette, le noir, le rouge, les impairs et les pairs, les manques et les six-tains, le bruit sec des râteaux qui raflent les jetons sur le tapis, et cet effroi délicieux, presque fatal et sombre, ces moments de silence, comme des prières secrètes où le hasard fait son œuvre sombre. L'argent qu'elle dépense toujours avec légèreté est ici enfin soustrait à son rôle social. Il est «ce qu'il ne devrait jamais cesser d'être : un jouet, des jetons, quelque chose d'inter-changeable et d'inexistant dans sa nature même». Elle retrouve dans les salles tamisées du casino, en s'y enfonçant comme dans un tombeau, son goût naturel

pour le gratuit, la non-possession, l'aléatoire, l'imprévisible. Tout se joue toujours entre son amour pour la
terre et la vanité des nuits où l'existence se pulvérise et
se défait dans les fumées de cigarettes mentholées
quand l'argent n'a plus qu'un rôle abstrait, n'est plus
qu'une illusoire valeur, qui part elle-même, en une
seconde, en fumée. Tout ce que détestait Guy
Schoeller, cette perdition de soi qu'il jugeait enfantine
et presque dérisoire, et qu'elle, Sagan, revendiquait
comme un art de vivre, un moyen d'échapper à la stu-
péfiante tyrannie du temps, elle vient de le retrouver
et veut en jouir comme d'une drogue. «Le vert des
tapis remplaçait, dit-elle, celui des prés», rien ne peut
la dessaisir de cette frénésie du jeu, et des joies infinies
du retour à Equemauville dans une voiture décapotable, longeant la mer d'argent, éclairée par intermit-
tences par les lampadaires qui jettent de temps à autre
des lueurs de lames et de polar, retrouvant encore les
petites aubes laiteuses et diaphanes, le brouillard s'é-
vaporant de l'asphalte, et la tendresse verte du parc,
comme un cocon où s'endormir enfin.

Ce petit matin-là, justement, Sagan a passé une
partie de la nuit à jouer au casino de Deauville. Elle
décide de fêter dignement son départ du manoir loué,
prévu le jour même. C'est le 8 août 1960. Elle joue
d'abord au chemin de fer pour lequel elle a une prédilection. Elle s'y «ruine». Elle se rabat sur la roulette.
Elle joue le 8 qui sort. Elle gagne quatre-vingt
mille francs. Elle empoche l'argent, le fourre pêle-
mêle dans son sac et quitte le casino. Retour au

manoir où l'attend le propriétaire pour l'inventaire. 8 heures du matin. Celui-ci incidemment lui propose de lui vendre le domaine. Sagan refuse, retrouve en un instant ses instincts de bohême, d'errante, de non-possédante. À tout hasard, elle demande le prix. «Étant donné les travaux à faire, je ne la vends pas cher, je la vends quatre-vingt mille francs.» Comment résister à cette facétie du destin, à ces clins d'œil du hasard organisé, à ces petits bonheurs surréels qu'elle adore? Elle ouvre son sac, y plonge sa main, rafle toutes les liasses et les donne au propriétaire, ébahi.

Equemauville devient ainsi l'unique vraie propriété de Sagan, son lieu de refuge, là où elle est et sera au plus près d'elle-même, de sa vérité, au plus juste de son être. Le manoir est son point d'ancrage, elle y accueille ses amis mais aime aussi s'y retrouver seule, même en leur présence. Et retrouver les élans de Colette à La Treille Muscade. C'est un lieu d'équilibre, le sien, enfoui et secret qui lui rappelle les heures de l'enfance passées dans les creux des combes, où la qualité de l'herbe rassure et materne. Mais Equemauville l'invite cependant à la proximité des casinos flamboyants, des grandes pâtisseries kitsch des années 1900 qu'il faut traverser pour atteindre des salles plus privées, sous la lumière vert pomme des opalines que reflète le tapis de feutre vert plus sombre et où s'accomplit le jeu silencieux de minuit.

Sagan continue son existence, douce-amère, livrée à ce qu'elle avoue être le «seul côté cohérent de son caractère : le goût du plaisir, du bonheur». Elle vit depuis six ans déjà sur l'ambigu succès de *Bonjour Tristesse*. Mais ce goût et cette passion du bonheur qu'elle affirme posséder ont des saveurs amères et sombres. François Mauriac, qui fut peut-être le plus pertinent de ses critiques, avait dès 1954 mis en garde les jurés du prix des Critiques quant à leur choix : «À mérite littéraire égal», fallait-il couronner la jeune romancière? André Dhôtel, Audiberti, Jean Guitton, étaient aussi sur la liste... Mauriac pressentait ces temps de malheur qui allaient de nouveau s'abattre sur la seconde partie du XXᵉ siècle. Et le choix d'un jury littéraire aurait dû, disait-il, «manifester au monde, et d'abord à nous-mêmes, que nous nous sommes réveillés de notre assoupissement, que nous n'ignorons plus ce qui se trouve en jeu... Notre devoir [était] alors de proposer une œuvre qui porte témoignage à la vie spirituelle française, brûlante encore, et plus que jamais...» Or «la terrible petite fille», comme il l'appelle encore, a su faire aimer ses «épices» aux jurés... Sagan a été comme enchaînée par ce succès, contrainte de dispenser son sillage vénéneux, contrainte de bâcler pour faire tourner la machine.

Le manoir de Breuil connaît cependant des moments de doute et de retour sur soi. L'ivresse des casinos et des copains (tout compte fait, pas si nombreux que cela), est compensée, dans ce tout début des années 60, par des prises de conscience politiques et sociales qui étaient sinon étrangères à Sagan, du moins confusément ressenties, il y a deux ans à peine. L'aggravation des événements d'Algérie est pour beaucoup dans cette «gravité», selon le mot de Mauriac, qu'elle acquiert. En mai 1960, on réclame sa collaboration à *L'Express* où travaille déjà son amie Florence Malraux. Ce sera pour Sagan un tournant assez décisif, il lui apportera cette épaisseur politique qui lui manquait, la faisant s'approcher ainsi d'un de ses modèles de toujours, Jean-Paul Sartre. Issue d'une famille plutôt de droite et donc partisane de l'Algérie française, Sagan se déclare sympathisante de la Révolution algérienne après la révélation de la torture sur des militantes dont elle reçoit les témoignages. Mais ce passage à gauche n'est pas dogmatique ou définitif. Sagan se réserve le droit de changer d'opinion, d'être ainsi fidèle à ce qu'elle a exprimé dans ses romans, cette disponibilité de l'être aux mouvements du monde, sa conscience émouvante devant la précarité de sa condition et ce besoin d'une liberté, fût-elle dérisoire, d'être à l'écoute de tous les souffles de l'Histoire. Son attitude «désinvolte» déplaira à beaucoup d'intellectuels et notamment à Marguerite Duras qui ne peut accepter une forme d'engagement aussi aléatoire. Jusqu'en 1960, Sagan n'interviendra donc pas publiquement sur des affaires aussi importantes que celles de Djamila Bouhired, la jeune militante du FLN, dont Jérôme Lindon publie le martyre, du jeune poète torturé algérien Djamal Amrani dont toute l'intelligentsia française prendra la défense après la publication de son livre, intitulé *Le Témoin,* toujours aux éditions de Minuit, ou sur de vastes problèmes de fond comme celui de la désertion illustrée par

Favrelière dans son ouvrage *Le Désert à l'aube*. Pas davantage, elle ne participera à la revue *Le 14 juillet* que Blanchot codirige avec Duras, Antelme et Mascolo. Pas davantage d'écho chez Sagan au fameux texte de Maurice Blanchot, *Le Refus*, texte témoin qui appelle les intellectuels à «revenir à ce respect de ce qu'ils sont, qui ne peut leur permettre ni le consentement ni même l'indifférence».

La lutte pourtant s'intensifie. L'OAS et le FLN s'affrontent à Paris et le débat intellectuel s'organise. Dans ce contexte tragique est lancé *Le Manifeste des 121* en septembre 1960, d'abord publié à l'étranger dans *Tempo Presente* et *Neue Rundschau* puis dans *Vérité-Liberté*, qui subit la saisie. Jean Schuster et Dionys Mascolo en sont à l'origine, vite relayés par d'autres intellectuels, même ceux qui n'ont pas d'appartenance politique précise. *Le Monde* annonce enfin que «cent vingt et un écrivains, universitaires et artistes ont signé une pétition sur le droit à l'insoumission dans la guerre d'Algérie», et révèle une partie du manifeste :

«Nous respectons et jugeons justifié le refus de prendre les armes contre le peuple algérien.

Nous respectons et jugeons justifiée la conduite des Français qui estiment de leur devoir d'apporter aide et protection aux Algériens opprimés au nom du peuple français.

La cause du peuple algérien, qui contribue de façon décisive à ruiner le système colonial, est la cause de tous les hommes libres. »

Dans la première pétition, ne figure pas encore le nom de Françoise Sagan. Mais on y trouve celui de Florence Malraux, ce qui vaut à la jeune femme une violente dispute avec son père. Une seconde liste est en préparation. De Gaulle refuse de faire arrêter les «empoisonneurs de la conscience nationale», «les assassins» comme les appellent pourtant Jules Romains, Henri de Montherlant, Thierry Maulnier, Roland Dorgelès, Antoine Blondin, Michel Déon, Jacques Laurent, Pierre Gaxotte, et tant d'autres, s'opposant aux «121». Son souhait de «laisser les penseurs en paix», rassure certains qui acceptent de signer la liste future. René Julliard sait que Sagan est tentée de s'engager. Estimant sa décision catastrophique pour sa carrière et peut-être aussi… pour sa maison d'édition, (Sagan pouvant ainsi perdre des lecteurs), il tente des tractations à Equemauville pour l'en dissuader. En vain. Tout se passe comme si Sagan s'était étoffée d'un autre poids, plus spirituel, plus humain, moins «cavalier». Elle signe donc, précisant cependant qu'elle accomplit cet acte «pour des raisons humanitaires». La précision est de taille : elle affirme son désir farouche de rester libre, de ne pas être une vraie militante, dont l'engagement serait total.

Le supplice de Djamila Boupacha sera cependant déterminant dans son évolution politique : qu'il s'agisse d'une jeune fille de vingt-deux ans, humiliée et torturée dans sa féminité même, lui inspire une telle horreur que Sagan monte, comme on dit, aux créneaux, ce qui n'est pas foncièrement son habitude.

Djamila est de sa génération, et elle se sent soudain personnellement concernée : «J'en parle parce que j'en ai honte. Et que je ne comprends pas, écrit-elle à l'adresse du général de Gaulle, qu'un homme intelligent, qui a le sens de la grandeur et le pouvoir, n'ait encore rien fait.»

Ainsi (mais lentement), au fil des années, va se forger un engagement à sa manière, jamais idéologique mais toujours fondé sur des valeurs universelles et humaines, le respect des gens, la tolérance, la liberté. Et sur toutes les vertus qui s'y attachent, finalement chrétiennes, indulgence, compréhension, compassion.

Après 1960, la légende et la vie de Françoise Sagan seront confondues dans la même image de nonchalance, de retraite dorée, de solitude entourée, de noctambule et de terrienne tout à la fois. Les succès continueront à scander son existence, avec des titres toujours aussi séducteurs et impressionnistes. Sa fameuse musique qui lui est si chère, aux notes douces et rauques, volubiles et fugaces comme des fugues douloureuses, répètera l'éternelle histoire des exils et des amours inachevées : *Les Merveilleux Nuages, Un peu de soleil dans l'eau froide, Des bleus à l'âme, Le Lit défait, De guerre lasse, Un sang d'aquarelle*… Mais les ventes n'atteindront jamais plus les records absolus de *Bonjour Tristesse* ou d'*Un certain sourire*.

Il y aura un second mariage pour croire encore un peu à l'illusion de l'éternel amour, un fils nommé Denis, trop aimé et donc maladroitement aimé, des années noires avec des procès et des dettes, des éditeurs qu'elle quitte ou qui la quittent, les maladies, l'alcool, la drogue, l'irresponsable et consciente dilapidation de sa fortune, quelques apparitions publiques où sa manière de bafouiller et de bégayer deviendra, elle aussi, légendaire, l'impression que tout va à sa ruine et enfin Equemauville, le manoir normand, auquel elle voudra toujours s'accrocher comme s'il était un repère, une façon de retenir un peu le temps, qui continue, indifférent, de fuir sans répit.

Il y aura encore la plupart de ses amis et de ses amants, ses maris, ses parents, son frère surtout. qui disparaîtront les uns après les autres. Sa bande ou sa cour, comme on voudra, quittera à son tour le radeau précaire de sa vie. Elle éprouvera l'impression, tenace et violente, qu'elle a vieilli prématurément, mais cette certitude, non moins forte, que ses lecteurs l'aiment encore et qu'il n'y a rien à regretter de son passé. Elle ressentira la même lassitude que celle de ses héroïnes et, malgré son goût pour la ville et la nuit, elle gardera, enraciné profondément en elle, l'amour de la terre dont elle déplore le saccage de par le monde.

Et peut-être, finalement, se dira-t-elle qu'elle n'aura jamais gardé comme compagne que la feuille blanche tant aimée, dont elle se sait pourtant l'artisan sans grand génie mais fidèle et talentueux, et qui lui aura permis, chaque jour de sa vie d'écrivain, de « rassembler toutes nos faiblesses, celles de l'intelligence, de la mémoire, du goût et de l'instinct, comme si elles étaient des armes.

Non pas des armes contre l'idée de mourir, mais [contre] l'idée de ne plus être là».

Crédits photographiques du cahier central

(De gauche à droite et de haut en bas)
Page 1 : Lido/Sipa
Page 2 : Lipnitzki/Roger-Viollet; Roger-Viollet; David
Seymour/Magnum photos
Page 3 : Lipnitzki/Roger-Viollet; Roger-Viollet;
Lipnitzki/Roger-Viollet
Page 4 : Rue des Archives/Agip; Rue des Archives/Agip;
Lipnitzki/Roger-Viollet; Keystone
Page 5 : Keystone
Page 6 : Universal photos/Sipa; Rue des Archives/Agip
Page 7 : Universal photos/Sipa; Rue des Archives/Agip; Rue
des Archives/Agip
Page 8 : Keystone

Remerciements

À tous ceux qui, directement ou indirectement, par leurs travaux, leurs témoignages ou leurs encouragements, m'ont aidé à écrire ce livre :

Juliette Joste, Raphaël Sorin, Anaïk Bourhis, Siki de Somalie, Jean-Claude Lamy, Jérôme Garcin, les gens de Cajarc, l'Office du tourisme de Cajarc, Michelle Porte, Guy Schoeller (†), Bernard Frank, Georges Hourdin (†), Henry Polage, Madeleine Chapsal, Victoire de Montesquiou, Bertrand Poirot-Delpech, Georges Landais, Annabel, Gérard Mourgue, Bertrand de Saint-Vincent, Régine…

DU MÊME AUTEUR

Marguerite Duras, Paris, Seghers, 1972

Anthologie de la poésie fantastique française, Paris, Seghers, 1973

Bonaventure, essai sur la peinture de Bona de Mandiargues, Paris, Stock, 1977

Amore veneziano, Paris, Stock, 1979

Introduction au Journal de ma Vie, de Thérèse d'Avila, Paris, Stock, 1979

Vivre en poésie, entretiens avec Eugène Guillevic, Paris, Stock, 1980

Maman la Blanche, Paris, Albin Michel, 1981

Alger l'Amour, Paris, Presses de la Renaissance, 1982

Tant que le jour te portera, Paris, Albin Michel, 1983

La Vie la vie, Paris, Albin Michel, 1984

La Nuit de Mayerling, Paris, Plon, 1985

Séraphine de Senlis, Paris, Albin Michel, 1986

Le Petit frère de la nuit, Paris, Albin Michel, 1988

Le Monde merveilleux des images pieuses, Paris, Hermé, 1988

Le Roman de Jacqueline et Blaise Pascal, Paris, Flammarion, 1989

Introduction à Sainte Lydwine de Schiedam, Paris, Maren Sell, 1989

J.K. Huysmans, Paris, Plon, 1990

Duras, Paris, François Bourin/Julliard, 1991

La Tisserande du Roi-Soleil, Paris, Flammarion, 1992

Introduction à La Cathédrale, de Huysmans, Paris, Le Rocher, 1992

Naissances d'un père, Paris, Le Rocher, 1993

Saint-Exupéry, Paris, Julliard, 1994

Devenir Venise, Paris, Lattès, 1994

Actes du Colloque de Cerisy-la-Salle sur Marguerite Duras, sous la direction d'Alain Vircondelet, Paris, Ecriture, 1994

Jean-Paul II, Paris, Julliard, 1994

Pour Duras, Paris, Calmann-Lévy, 1995

La Princesse de Lamballe, Paris, Flammarion, 1995

Là-bas, souvenirs d'une Algérie perdue, Paris, Le Chêne/Hachette, 1996

Marguerite Duras, vérité et légendes, Paris, Le Chêne/Hachette, 1996

Je vous salue, Marie, représentations populaires de la Vierge Marie, Paris, Le Chêne/Hachette, 1997

Charles de Foucauld, Paris, Le Rocher, 1997

Le Retour des Sources, in Une enfance algérienne, Paris, Gallimard, 1997

Jean-Paul II, naissance d'un destin, Paris, Autrement, 1997

Marguerite à Duras, Paris, Éditions 1, 1998

Mortel Amiante, Paris, Anne Carrière, 1998

Albert Camus, vérité et légendes, Paris, Le Chêne/Hachette, 1998

Alger Alger, Martel, Éditions du Laquet, 1998

Actes du Colloque de l'ICP sur Marguerite Duras, Dieu et l'écrit, sous la direction d'Alain Vircondelet, Paris, Le Rocher, 1998

La Terreur des Chiens ou les derniers jours d'Arthur Rimbaud, Paris, Le Rocher, 1999

La Maison devant le monde, le désir du bonheur, Paris, Desclée de Brouwer, 2000

Saint-Exupéry, vérité et légendes, Paris, Le Chêne/Hachette, 2000

Marguerite Duras ou l'émergence du chant, La Renaissance du Livre, 2000

Mémoires de la Rose, de Consuelo de Saint-Exupéry, édition critique, Paris, Plon, 2000

Les Chats de Balthus, Paris, Flammarion, 2000

Lettres du Dimanche, de Consuelo de Saint-Exupéry, édition critique, Paris, Plon, 2001

Mémoires de Balthus, propos recueillis par Alain Vircondelet, Paris, Le Rocher, 2001